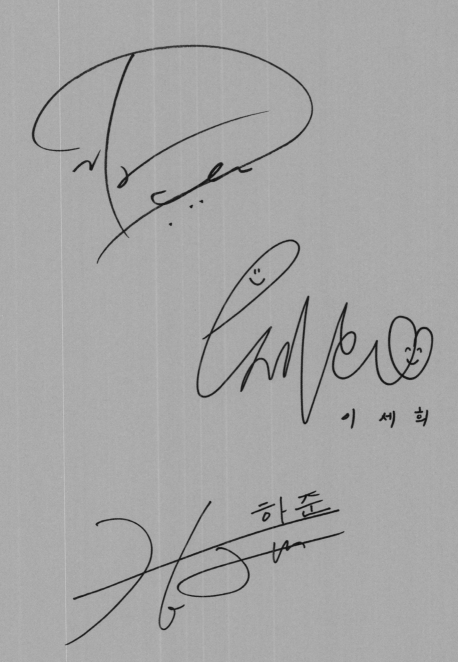

이 세 희

하 준

불량 검사 액션 수사극

진검승부

임명빈 대본집

2

DO! U LIKE

일러두기

·이 책은 임영빈 작가의 드라마 대본 집필 형식을 최대한 따랐습니다.

·드라마 대사는 입말임을 고려하여 일부 한글맞춤법에서 벗어난 표현도 그대로 살렸습니다.
그 외 지문과 소지문은 한글맞춤법을 따랐습니다.

·쉼표, 느낌표, 마침표, 물음표 등은 작가의 의도를 살려 표기했습니다.

·이 책은 작가의 최종 대본으로 일부 방송되지 않은 부분이 포함되어 있습니다.

몽타주

영상 편집 구성의 한 방법으로 따로따로 촬영한 화면을 적절하게 떼어 붙여서
하나의 긴밀하고도 새로운 장면이나 내용으로 구성하는 기법입니다.

◀ 플래시백

장면의 순간적인 변화를 연속으로 보여 주는 기법으로 긴장의 고조,
감정의 격렬함을 나타내는 데 효과적이며, 과거 회상 장면을 나타내는 데 쓰입니다.

＋ 인서트

장면의 행동이나 상황을 강조하기 위해 삽입한 화면입니다.
대개 클로즈업을 사용하며 상황을 좀 더 명확하게 만듭니다.

차례

episode 7

이장원 차장검사를 대신해 새로이
중앙 지검장의 자리에 오른 한 사
람, 김태호.
그가 지금까지 모든 일을 주도해 왔
단 걸 깨달은 정은 지검에 복귀, 김
태호와 피할 수 없는 한판 승부를
벌인다.

S#1   **중도의 승합차 안 (밤)**

김태호의 집 근처에 서 있는 중도의 승합차.
차 안에 앉아 있는 정과 철기, 중도와 은지.
헤드폰을 낀 채 김태호와 아라의 대화를 듣고 있는 정.

아라(소리)   진 검사 누명은 맞단 말씀이시네요.

S#2   **김태호의 집 앞 (밤)**

김태호   (평정 되찾곤) 나한테 진실을 듣는다 해도,
          니가 할 수 있는 건 없어.
아라   할 수 있냐 없냔 제가 정합니다.
          지검장님은 대답만 하세요.
김태호   (피식 웃곤) 어쩔 수가 없었어. 이게 내 대답이야.

S#3 　　　**중도의 승합차 안 (밤)**

놀란 얼굴로 정 바라보는 철기.
표정 서늘해지는 정.

S#4 　　　**김태호의 집 엘리베이터 (밤)**

엘리베이터에 타는 김태호. 문이 닫히기 시작한다.
그때! 누군가 손으로 엘리베이터 문을 막는다.
다시 열리는 엘리베이터 문. 김태호 보면,
서 있는 한 사람,
정이다...!

S#5 　　　**김태호의 집 앞 (밤)**

마음 다 잡듯 후우우 심호흡을 내쉬는 아라.
이내 결연해지는 아라의 표정.

S#6 　　　**김태호의 집 엘리베이터 (밤)**

김태호의 앞에서 녹음기를 플레이하는 정.

김태호(소리)　어쩔 수가 없었어. 이게 내 대답이야.
정　　　　　제가 나쁜 놈들한텐 말을 놓습니다 지검장님.
　　　　　　사람 취급을 안 하거든.

김태호	(정 노려보고)
정	(와락 김태호 멱살 잡는) 넌 이제 끝났어.

김태호 노려보는 정의 모습에서.

S#7   도환의 사무실 (낮)

자리에 앉아 생각에 잠겨 있는 도환.

◀ **플래시백**

6화 18씬

도환	국과수 감식 결과 진 검사의 피였습니다. 혈흔 형태와 양으로 봐선 누군가 진 검사를 피습한 거 같습니다.
김태호	(처음 듣는 얘기다, 당황스러운) 뭐?
도환	(지검장님이 시킨 게 아니다? 표정 날카로워지는) 모르셨습니까?

내가 모르는 뭔가 있다. 서늘한 얼굴로 의자에 몸 묻는 도환.

강 수사관	(당황스레 안으로 들어와) 검사님, 잠시 나와 보셔야 할 거 같습니다.

S#8   검찰청 앞 (낮)

목검 어깨에 걸쳐 멘 채 지검 건물 바라보며 서 있는 한 사람,

정이다!

진 검사가 왜 여기? 정을 보며 놀라는 사람들.

우두둑 손과 목 풀어 주는 정.

지검 향해 당당히 걸음 옮기기 시작한다.

S#9   **아라의 사무실 (낮)**

창밖으로 정을 바라보며 서 있는 아라. 피식 미소 짓고.

S#10   **검찰청 앞 (낮)**

지검을 향해 걸음 옮기는 정.

그 앞을 가로막는 도환과 강 수사관, 수사관들.

도환   무슨 꿍꿍이야?

정   (쯧쯧) 니네도 참 소통 안 된다.

        말하기도 귀찮으니까 니 주인한테 전화해.

도환   (정 보는, 설마 싶은데)

정   (짜증) 너랑 김태호랑 나 기술 건 거 아니까 전화하라고.

        번호 몰라?

도환   (정 노려보다가, 핸드폰 전화 거는)

S#11   **김태호 지검장실 (낮)**

자리에 앉아 핸드폰 통화 중인 김태호.

도환(소리)	진 검사가 제 앞에 있습니다.

갈등 어린 김태호의 표정. 그 위로

김태호(소리)	겨우 이딴 걸로?

S#12	**회상, 김태호의 집 엘리베이터 (밤)**

6씬 연결

김태호	(정이 멱살 잡은 손 푸는) 당사자가 아닌 제3자가 대화를 녹음하는 건 불법이야 진 검사. 니가 처벌을 받으면 받았지 내가 처벌을 받을 리는 없어. 물론 당연히, 법정까지 가져갈 수도 없을 거고.
정	(김태호 노려보는)
김태호	언론 쪽도 마찬가지야. 펜쟁이들 입으로만 탄압이라 짖어대지 칼 앞에선 꼼짝도 못 해.
정	(보는)
김태호	(비열한 웃음) 너는 나 못 죽여 진 검사. 니가 할 수 있는 건 아무것도 없거든. 신 검사랑 여기까지 찾아온 거 용기가 가상하니 마지막 기회는 줄게. 조용히 녹음기 내놓고... (하는데)

진동 울리는 김태호의 핸드폰.
김태호 보면, **'공보담당관'**에게 걸려 온 전화다.

김태호	(왜 이 시간에 갑자기? 표정)
정	받으세요. 급한 전화 같은데.
김태호	(정 바라보며 핸드폰 받으면)
담당관(소리)	밤늦게 죄송합니다 지검장님.
	저희 내부 게시판 좀 확인해 보셔야 할 거 같습니다.

핸드폰으로 검찰청 내부 익명 게시판에 접속하는 김태호.

멈칫 표정 얼어붙는다.

게시판 맨 윗글 제목,

'김태호 지검장님, 왜 그러셨습니까!'

김태호 게시물 클릭하면, 녹음 파일 일부가 플레이된다.

김태호(소리)	나한테 진실을 듣는다 해도, 니가 할 수 있는 건 없어.
김태호	!! (경악해 정 보면)
정	5분 있다 본편 올라갑니다.
	빨리 물어보세요 원하는 게 뭔지.
김태호	개소리 떨지 마. 어차피 조작이라 하면 그만이야.
정	아유 그럼 그러시던가.
	근데 본편 올라가면 그게 통할까 모르겠네?
	검사들이 무슨 붕어도 아니고.
김태호	(죽일 듯 정 노려보는데)
정	제 방식이 이렇습니다 지검장님.
	죽이지 못할 거면 죽기 직전까지 만들어라.
	(정중한) 중앙 지검 검사 진정,
	지명 수배 누명 벗고 내일부로 지검 복귀하겠습니다.

S#13   **김태호 지검장실 (낮)**

김태호   ... 진 검사는 놔둬. (듣다가, 버럭) 시키면 시키는 대로 해!

거칠게 핸드폰 끊는 김태호. 분노로 이를 악물고.

S#14   **검찰청 앞 (낮)**

도환이 들고 있는 서류를 빼앗는 정.
보면, 자신에 대한 체포 영장이다.
보란 듯이 눈앞에서 체포 영장 쫙쫙 찢어 버리는 정.

정   너도 알겠지만 오도환 검사님,
내가 요 근래 좀 많이 맞았어.
도환   (보는)
정   가드 바싹 올려. 이젠 내 차례니까.

서늘히 웃음 지으며 도환 바라보는 정.
그런 정을 노려보는 도환. 두 사람의 모습에서.

진검승부

S#15   **김태호 지검장실 (낮)**

자리에 앉아 있는 김태호. 그 앞엔 도환이 서 있고.

김태호   어젯밤 진 검사가 날 찾아왔어.

도환   (김태호 보는)

김태호   내가 궁금한 건 오 검사. (서늘히 도환 노려보는)
    그놈이 대체 어떻게 나를 알고 찾아왔냐는 거야.

도환   확인해 보겠습니다.

김태호   확인이라... (고개 끄덕이는) 그래 니 말이 맞아.
    사실의 앞뒤 관계는 따져 봐야지.

책상 위 찻잔을 도환에게 던지는 김태호.
퍽! 도환의 머리에 맞고 깨지는 찻잔.
주르륵... 도환의 뺨을 타고 피가 흐른다.

김태호   일 다 터지고 무슨 확인. 대체 무슨 확인 이 새끼야!!

도환   (보는)

김태호   ...너. 명심해.
    이번 일 잘못되잖아? 나는 다치는데 너는 죽어.

도환   (표정 서늘해지고)

김태호   나 중앙 지검장이다 오도환.
    사람 하나 조지는 건 일도 아니야.

도환   명심하겠습니다.

김태호   (진정된) 알아들었음 나가 봐. (자기 업무 보는데)

도환   ...자살이어야만 하는 이유가 있는 겁니까? 이장원 차장.

김태호   (멈칫, 도환 보는)

도환	말씀하신 것처럼 제 인생도 걸려 있습니다.
	들을 자격은 충분하다 생각합니다.
김태호	(보는)
도환	대답이 어려우시다면 다른 질문드리겠습니다.
	(지긋이 김태호 보는) 혹시 제가 모르는 다른... (하는데)
김태호	오도환 검사. 선 넘지 마.
도환	(보는)
김태호	시키는 것만 해. 니 본인을 위해서라도.

책상 위 김태호의 핸드폰 진동이 울린다.
도환 힐끔 보면, **'서현규 대표님.'**
순간 날카로워지는 도환의 표정.
자연스레 핸드폰을 품에 넣는 김태호.
가만히 도환을 바라본다. 나가라는 뜻.
꾸벅 인사 후 나가는 도환.

S#16   **검찰청 복도 (낮)**

지검장실 밖으로 나오는 도환.
뒤돌아 지검장실을 바라본다.
확실히 뭔가 있다. 바라보는 도환의 표정.

S#17   **민원봉사 사무실 (낮)**

코코를 산책시키고 안으로 들어오는 박재경.

철기	오셨습니까.
박재경	...한 놈 또 어디 갔어.
철기	(어색한 연기) 갑자기 급한 민원이 생겼다고...
	그거 처리하러...
박재경	확실해?
철기	(어색한 연기) 예? 예예 확실합니다.
	절대 제가 거짓말을 하고 있다거나 진 검사님이
	다른 일 하고 계신 건 아니니까... (하는데)
박재경	몸 사리면서 하라 그래. (자기 자리로 가는)
철기	예?
박재경	(자리에 앉아) 걔 거 민원처리 하러 갔다며 조심해서 하라고.
	이번엔 꽤 악성인 거 같으니까.
철기	아... 전달하겠습니다.
박재경	(비어 있는 정의 자리 바라보는, 걱정스러운 표정)

S#18   **정의 차 안 (낮)**

도로를 달리고 있는 정의 차.
운전석엔 정, 조수석엔 아라가 앉아 있고.

정	녹음 파일 하나로 지검장 혐의 입증하긴 힘들어요.
	한 방이 더 필요합니다.
	법정에서도 쓸 수 있는 깔끔한 한 방.
아라	다른 건 몰라도 지검장님이... (하다가)
	그 사람이 차장님 사건에 개입됐단 건 확실하잖아.

	거기부터 파면 되겠네. (정 보는) 계획 있어?
정	사건 관계 증인.
아라	증인?

뒷좌석 가리키는 정.
아라 뒷좌석 보면, 각각 안전벨트를 매고 있는
부처님, 예수님, 성모 마리아 상!

아라	(?? 황당히 정 보면)
정	아니 아니 그분들 말고, 치우는 거 깜빡했다.
	서류 봉투 서류 봉투.

뒷좌석 시트 밑에 떨어져 있는 서류 봉투 집어 드는 아라.
봉투 열어 보면, 조작된 부검 소견서가 들어 있다.
'담당 부검의: 정재훈.'

◀   **플래시백**

4화 27씬
정에게 부검 소견서를 건네는 부검의.

아라	!!
정	우리한테 남은 유일한 카드입니다.
	김태호 지검장 잡을 수 있는.
아라	부검 소견서 조작 지시를...
	김태호 지검장이 했다...?

자신만만한 미소로 강하게 엑셀 밟는 정.
부아아앙 빠른 속도로 치고 나가는 정의 차.

S#19   **상가 건물 밖 일각 (밤)**

상가 건물 근처에 멈춰 서는 정의 차.

정   (건물 2층 가리키는) 저기예요.
            부검의가 자주 나타나는 불법 도박장.
아라   (건물 보며) 그 정보는 어떻게 안 거야?
정   SNS는 인생의 낭비다. 알렉스 퍼거슨.

+   인서트
            중도의 가게.
            부검의의 SNS를 해킹해 보고 있는 중도.
            관심사와 관심 지역 등 전부 포커와 도박장 이야기들이다.

아라   (멍하니 정 보다가, 대뜸) …따로 불법이란 얘긴 안 할게.
            영장 없는 건?
정   불법 도박으로 긴급 체포.
            소견서 조작 배후에 누가 있는지는 별건.
아라   이야 역시 진정, 계획이 다 있구나.
            법이랑 합의를 안 해서 그렇지.
정   문제는 제가 동양화는 되는데 서양화가 안 된단 거예요.
            저주 마냥 무슨 원 페어도 나온 적이 없어.

아라	(상가 건물 바라보고)
정	동태 살피고 최대한 조용히 그놈 잡아 오려면 몇 판은 쳐야 돼요. (아라 보는) 포커 좀 알아요?
아라	(건물 바라보는 채, 진지한) 원 카드랑은 다른 거지?
정	...족보부터 배웁시다.

S#20 　불법 도박장 안 (밤)

아라	(힘찬) 이랏샤이!!

하며 테이블 위에 카드를 내려놓는 아라.
에이스 포 카드다.
테이블 가운데 수북이 쌓여있는 5만 원권 돈 당겨 오는 아라.
의자 밑엔 이미 따 놓은 돈들이 스포츠 백에 가득 들어 있다.
옆에 있던 정은 입 떡 벌어져 아라 바라보고...

정	(귓속말) 처음이라 하지 않았어요?
아라	(잔뜩 흥분해서) 말리지 마라 나 오늘 전셋값 번다.
정	아니 좀 그만 따 뭘 그렇게 많이 따. 우리 이럴 때 아냐.
아라	패 돌려!
정	(미쳐 버리겠고)

먹이를 노리는 짐승의 눈빛으로
자기에게 오는 패를 바라보는 아라.
로열 스트레이트 플러시가 만들어지고 있다.

아라   (결연한) 올인.

애써 냉정을 유지하는 아라의 표정.
테이블 밑에 다리는 달달달 떨리고 있고.
부검의를 찾아 주위 둘러보는 정.
멈칫, 한쪽 룸에서 나오는 한 사람, 부검의다.

정   ... 선배.

마지막 히든 패가 들어온다.
정의 말은 들리지도 않는 듯,
초집중하는 얼굴로 조금씩 카드를 확인하는 아라.
정과 부검의의 눈이 마주친다.
부리나케 밖으로 도망치는 부검의.
구경꾼을 밀치고 그 뒤를 쫓아 달려가는 정!
정에게 밀려 테이블로 넘어지는 구경꾼.
테이블이 엎어진다.
카드와 현금들이 공중에 날아오른다.
망연자실한 아라의 표정.

S#21   **거리 (밤)**

도망치는 부검의와 그 뒤를 쫓는 정.

S#22   **건물 사이 골목 (밤)**

골목으로 뛰어 들어오는 부검의.
급한 숨 몰아쉬며 뒤돌아보면, 아무도 없다.
안도하는 그때,
갑자기 자신의 위로 드리우는 그림자.
부검의 고개 들어 보면,
위에서 확 부검의를 덮치는 정...!

S#23   **상가 건물 밖 일각 (밤)**

부검의를 자신의 차 뒷좌석에 태우는 정.
상가 건물 입구 보면,
서 있는 경찰차들과 연행되고 있는 도박꾼들,
경찰과 이야기 나누고 있는 아라가 보인다.
옅게 미소 지으며 운전석에 오르는 정.
빵빵 클랙슨 울리고.

S#24   **중앙 지검 전경 (낮)**

S#25   **검찰청 취조실 (낮)**

긴장한 얼굴로 앉아 있는 부검의.
맞은편에선 정이 빤히 그런 부검의 바라보고 있다.
취조실 모니터 룸에선 아라가 두 사람 보고 있고.

정   ...정재훈 씨. 여기 왜 왔는 줄은 알죠.

부검의	불법 도박 혐의 때문에... (하는데)
정	저 누군지 알죠.
부검의	(알고 있다, 표정)
정	제 연락 왜 안 받았습니까. 직장은 또 왜 그만두시고.
부검의	그건... 개인적인 사정이 있어서... (하는데)
정	소견서 왜 조작했어.
부검의	...!!
정	(서류들 밀어 주며) 당신 계좌 입출금 내역이야.
	이건 최근 한 달 카드 내역서.
부검의	(서류들 보는)
정	지출이 수입보다 세 배 이상 많던데.
	정확히 차장님 부검 날짜 이후부터.
	(피식) 돈 받은 거 너무 티 내고 다니셨다.
부검의	오, 오해입니다.
	이건 제가 카드로 딴... (하는데)
정	꽁지 빚만 수천인 사람이? 거기 사장 당신 호구라 불러.
부검의	(긴장한 채 아무 말 못 하는)
정	(일어서 부검의에게 다가가는)
	내가 진짜 궁금한 건 말야 정재훈 씨.
	누가 당신한테 조작을 지시했냐는 거야.
부검의	(긴장하고)
정	(가까이 다가가, 낮고 서늘한) 김태호 지검장이지.
부검의	...!!

S#26   **검찰청 취조실 모니터 룸 (낮)**

| 아라 | (부검의 표정 보며) 다 왔네. |

S#27 검찰청 취조실 (낮)

정	입 다물고 있으면 당신만 손해야 정재훈 씨.
	공문서 조작 최대 5년 살 거 최소 5년이 될지도 몰라.
부검의	(침 꿀꺽 삼키는데)
정	...내가 도와줄게.
부검의	...!!
정	플리바게닝. 쉬운 말로 유죄답변 거래.
	피의자가 유죄를 인정하거나
	수사에 도움이 되는 증언을 했을 경우,
	형량을 낮추거나 조정해주는 협상 제도.
부검의	그건...
	아직 우리나라에선 공식적으로 인정 안 하고 있는... (정 보면)

천정에 달린 카메라를 가리키는 정.
부검의 보면, 점멸하던 카메라 불빛, 서서히 꺼진다.

정	물론 완전히 없던 죄로 만들어 줄 순 없어.
	어쨌거나 당신은 죄를 저질렀고,
	죄에 대한 죗값은 받아야 한다는 게 당연한 상식이니까.
부검의	(표정 가라앉는)
정	대신 이거 하난 약속할게.
	납득할 수 있는 형이 구형될 거야.

종이와 펜 부검의 앞에 밀어 주는 정.
작게 한숨 내쉬곤 펜을 드는 부검의.
그런 부검의를 기대로 바라보는 정과
취조실 모니터 룸에 아라.
펜을 들고 고민하는 부검의 모습에서.

S#28   **회상, 상가 건물 앞 (낮)**

휘파람 불며 상가 건물 향해 걸음 옮기는 부검의. 그때,

도환(소리)   정재훈 씨?

부검의 멈칫 보면, 서 있는 한 사람, 도환이다.

S#29   **검찰청 취조실 (낮)**

결심한 듯 갑자기 펜을 내려놓는 부검의.

부검의   이장원 차장검사 부검 조작, 저 혼자 한 일입니다.
정   ...!!
부검의   부검 과정에서 실수가 있었습니다.
         어쩔 수 없이 결과를 조작했습니다.
정   정재훈 씨.
부검의   누구에게도 사주받은 사실 없습니다. 더 할 말 없습니다.
         변호사 불러 주세요.

정   (작게 한숨 내쉬는, 난감한 표정에서)

S#30   검찰청 복도 (낮)

취조실 앞. 서 있는 정과 아라.

아라   분명 우리한테 넘어왔었어. 왜 갑자기 마음을 바꾼 걸까?
정   이유가 있는 거겠죠. 아직 우리가 찾지 못한...

하다가 멈칫, 복도 한쪽을 보는 정.
아라 그 시선 따라가 보면, 김태호와 도환이 걸어오고 있다.

김태호   (정과 아라 앞에 서는) 무슨 일 있나?
아라   (김태호 보는)
정   아... 지검장님도 잘 아시겠네요.
           이장원 차장 부검의 정재훈 씨.
김태호   (눙치는) 그 사람이 왜.
아라   불법 도박 혐의입니다.
김태호   그게 단가?
정   (김태호 보는데)
김태호   (고개 끄덕이는) 그렇군. (도환 보는) 앞으론 오 검사가 맡아.
아라   !! (발끈해 앞으로 나서는데)
정   (아라 말리며) 직권남용입니다. 아무리 지검장님이라도
           명분도 없이 수사 중인 사건을 뺏어갈 수는... (하는데)
김태호   (품에서 서류 꺼내 건네주는)

정과 아라 보면, 부검의에 대한 구속영장이다.
'사건명: 공문서 조작 사건.'

아라	…!!

아라   …!!

김태호   내사 결과 차장님 부검 소견서를

고의적으로 조작했단 혐의가 포착됐어.

(비웃음 머금곤) 두 사람은 전혀 몰랐겠지만 말야.

정   (노려보는데)

김태호   오도환 검사.

도환   (취조실 안으로 들어가고)

김태호   피의자 한 사람한테 검사 여럿 달라붙는 것도

모양새 안 좋아. (정리하듯) 오 검사한테 자료 전부 넘겨.

아라   …!!

정   후달리시긴 한가 보네.

13층에 계신 분이 4층까지 내려오시고.

지금 많이 웃어 두십쇼. 금방 바닥까지 꽂힐 테니까.

표정 서늘해져 정 노려보는 김태호. 그 시선 맞받는 정이고.

팽팽하게 서로를 노려보는 두 사람.

어느 순간 도환이 부검의를 데리고 나온다.

미소로 정의 어깨 쳐 주곤 걸음 옮기는 김태호.

그 뒤를 도환과 부검의가 따르고.

그런 김태호 노려보는 정과 아라 모습에서.

S#31   **검찰청 옥상 [낮]**

심각한 얼굴로 핸드폰 통화 중인 아라.

정은 난간 밖 바라보며 생각에 잠겨 있고.

아라   ...예 알겠어요. 고마워요 수사관님.

        (끊고, 정 보는) 부검의 바로 구치소 이송할 거래.

정   (작게 한숨 내쉬고)

아라   이대로 부검의 구속되면 끝이야.

        이상한 거라도 좋으니까 방법 없어?

정   ...차라리 구속만 되면 다행이죠.

아라   (표정 심각해지는) 부검의 입을 막으려 들 수도 있다.

정   가장 **빠르고** 확실한 방법이니까요. 진실을 감출 수 있는.

아라   (긴장해 정 보는데)

정   (결심한 듯) 부검의 지금 어딨어요.

S#32   **검찰청 밖 일각 (낮)**

수사관들과 함께 호송 차량 향해 걸음 옮기고 있는 부검의.

정   (갑자기 뒤에서 부검의 붙잡는) 지금이라도 솔직히 말해.

수사관   이러시면 안 됩니다. 나오세요. (다른 수사관과 함께 정 붙잡는)

정   (버티며) 마지막 기회야 정재훈 씨.

        그놈들이 당신 살려 둘 거 같애?

부검의   !!

정   개들한테 당신은 폭탄이야.

        생각을 해 봐 입만 막으면 끝나는데 왜 살려 두겠어.

수사관	(차량 앞에 서 있는 호송관에게) 뭐 해 안 태우고?!
정	나한테 협조해 정재훈 씨.
	당신 도와줄 수 있는 사람 나밖에 없어.

일말의 불안함으로 정을 보는 부검의.
그런 부검의를 강제로 차에 태우는 호송관.
호송차 문이 닫힌다. 수사관들에게 붙들린 채,
망연히 떠나가는 호송차 바라보는 정.

S#33   **호송차 안 (낮)**

도로를 달리고 있는 호송차.
운전석엔 호송관1, 각자 자리엔 호송관2, 3이 앉아 있고.
불안한 얼굴로 차창 밖 보며 앉아 있는 부검의.
어느 순간 끼익 멈추는 호송차.
도로 앞, 커다란 트럭 한 대가 도로를 막고 서 있다.

| 호송관1 | (호송관2, 3에게) 가서 확인 좀 해 봐. |

S#34   **도로 (낮)**

호송차에서 내려 트럭으로 다가가는 호송관2, 3.
호송관2 조심스레 트럭 운전석 문 열면, 아무도 없다.
그때! 갑자기 나타나 순식간에 호송관2를 제압하는 괴한1.
(모자와 마스크 쓴 은지. 얼굴은 전혀 보이지 않는)

화들짝 놀라 품에서 가스총 꺼내는 호송관3.
이내 경련을 일으키며 바닥에 쓰러진다.
그 뒤편, 또 다른 괴한2가 전기 충격기 든 채 서 있고.
(은지와 같은 차림의 중도)

S#35   **호송차 안 (낮)**

급히 무전기를 집어 드는 호송관1.
그런 호송관의 팔을 잡아 꺾는 누군가, 모자에 마스크,
손엔 멸균 장갑을 끼고 있는 살수다. (은지와 같은 차림의 철기)
호송관1을 기절시키는 살수. 서늘히 부검의를 노려본다.
두려움 가득한 얼굴로 살수를 바라보는 부검의.
둘러보면,
호송관2, 3도 괴한들에게 완전히 제압당한 상태다.
살수 천천히 부검의에게 다가가는 데서.

S#36   **도로 (낮)**

호송차에서 부검의를 끌고 나오는 살수.
그때, 어딘가에서 갑자기 들려오기 시작하는
자동차 엔진 소리!
살수 고개 돌려 보면,
차 한 대가 빠른 속도로 달려오고 있다.
끼이익 드리프트 하며 멈춰 서는 차.
차에서 내리는 한 사람, 정이다...!

정   (서늘한) 오랜만이다?

          괴한1, 2 정에게 달려들지만
          정의 공격에 차례대로 쓰러진다.
          부검의를 내팽개치곤 정에게 달려드는 살수.
          살수와 격투를 벌이는 정.
          일진일퇴의 공방을 벌이는 두 사람.
          어느 순간 정의 공격을 버티지 못하고 쓰러지는 살수.
          살수 노려보다가 부검의에게 다가가는 정.
          부검의 붙잡아 자신의 차로 데려가는 데서.

S#37   **검찰청 복도 (낮)**

          굳은 얼굴로 지검장실 향해 빠르게 걸음 옮기는 도환.
          데스크 안 여비서가 말릴 새도 없이
          벌컥 문 열고 안으로 들어간다.

S#38   **김태호 지검장실 (낮)**

          도환에게 보고를 받은 듯, 벌떡 자리에서 일어나는 김태호.
          충격으로 얼어붙은 표정.

S#39   **펜션 앞 (밤)**

          끼익 멈춰 서는 정의 차.

차에서 내리는 정. 조수석에서 부검의를 끌어낸다.
거칠게 부검의를 끌고 펜션 안으로 들어가는 정.

S#40   **펜션 안 거실 (밤)**

소파에 밀치듯 부검의를 앉히는 정.
한쪽에선 아라가 두 사람 바라보며 서 있고.

정   (강하게 부검의 멱살 잡는) 이래도 계속 닥치고 있을 거야?
          당신 나 아니었으면 죽었다고 알아?!
부검의   (충격과 당황으로 아무 말 못 하고)
정   말해. 너한테 조작 지시한 놈 누구야.
부검의   (갈등하다가, 결국) 두 분 오시기 전에…
          절 찾아온 사람이 있었어요.
정   !! 뭐?
아라   그게 누구죠?
부검의   (정 바라보는 데서)

S#41   **회상, 상가 건물 앞 (낮)**

          28씬 연결
          도환의 차 안. 앉아 있는 도환과 부검의.

부검의   (기가 차고 화난) 뭐라고요?
도환   혼자 안고 가시라 말씀 드렸습니다.

이장원 차장 부검 소견서.
혹시라도 저희 쪽에 검거되었을 때.

부검의   (픽 실소하는) 이보세요 검사님. 가서 지검장한테 똑바로 전해.
나 잡히면 당신도 무조건 끝이니까,
책임지고 알아서 나 보호하라고.

대시보드에 놓여 있던 서류 봉투 건네주는 도환.
봉투에서 살짝 서류를 꺼내 보는 부검의.
흠칫 놀라 도환 보면,

도환   2017년 국정원 요원 자살 사건.
그땐 정재훈 씨가 운이 좋아 부검 조작 논란으로 끝났지만...
이번엔 팩트가 될 수도 있습니다.

부검의   (도환 노려보는) 뭐 하는 겁니까?

도환   선택의 기회를 드리는 겁니다.
초범과 재범, 감경과 가중 중에서요.

부검의   (노려보다가) 마음대로 하쇼. 어차피 잃을 것도 없는 몸이니까.

도환   (담담히, 작게 한숨 내쉬는)

부검의   할 말 끝났음 가 보겠습니다. 지검장한테 안부 전해 주고.

부검의 차 밖으로 나가려 하는데,
덥석 부검의의 팔목 붙잡는 도환.

부검의   (험악해지는) 놔.

도환   (차분한) 정재훈 씨.

부검의	놔!
도환	부탁드리겠습니다 정재훈 씨.
	제가 사모님과 아드님 속옷까지 뒤지게 하지 마세요.
부검의	!!
도환	지검장님께서 저한테 그러시더군요.
	사람 하나 조지는 건 일도 아니다. 저도 마찬가지입니다.
부검의	(도환 보는)
도환	(서늘한 미소) 공권력 우습게 보지 마세요 정재훈 씨.
	저희는 뭐든지 엮을 수 있습니다.

긴장해 도환 바라보는 부검의.
그런 부검의 미소로 바라보는 도환.

S#42   **펜션 안 거실 (밤)**

정	(도환에 대한 분노로 이 악무는데)
부검의	도박벽 때문에 이혼한 아내가 있습니다.
	아들도 아내랑 같이 살고 있고요.
	저는 어떻게 돼도 상관없지만 죄 없는 아내와 아들은...
아라	두 분의 안전은 저희가 확실히 책임지겠습니다.
부검의	(망설이다가) 집에 통장이 있습니다.
	저희 아들 대학 등록금으로 모아 놓은.
정	(보는데)
부검의	마지막으로 아버지 노릇이라도 할 수 있게...
	그것만 아들한테 전달해 주십쇼.

그럼 모든 걸 말씀 드리겠습니다.

S#43   **펜션 밖 (밤)**

밖으로 나오는 정과 아라.

아라   지금쯤이면 부검의 찾겠다고 혈안이 되어 있을 거야.
정   법정에 세울 때까진 무조건 우리가 보호해야 돼요.
        여긴 안전한 거 맞죠?
아라   부모님이 하시는 데야. 정년퇴임하고 여기로 오셨거든.
        비수기라 한산하고 근처에 사람도 없으니까…

        하는 그때, 갑자기 그들 앞에 멈춰 서는 차 한 대.
        차에서 내리는 세 사람, 살수와 괴한들이다.
        일촉즉발의 긴장감 속에서 서로를 노려보는 정과 살수.
        어느 순간 휙 모자와 마스크 벗는 사람들.
        이제야 드러나는 그들의 정체, 철기와 중도, 은지다.

정   빨리 왔다?
철기   시골길이라 헤매긴 했는데, 금방 찾았습니다.
아라   (한숨 푹 내쉬는) 대체 이게 무슨 미친 짓이람…
중도   (어느새 아라 옆에 다가와) 그러게 말입니다.
아라   (함께 있는 정과 은지 철기 보며) 그래도 뭐… 팀웍은 좋네요.
중도   역시 그렇죠?

(경과)

한 자리에 모여 있는 정과 아라, 세 사람.

정　　　선배는 여기서 부검의랑 같이 있어 주세요.
　　　　너희 셋은 저 사람 가족 만나 안전 확보부터 해.
　　　　집에서 통장 찾아 아들한테 전해 주고.

철기　　예.

아라　　정이 넌?

정　　　칼자루 잡았으니까, 휘둘러야죠. (결연한 표정에서)

S#44　　**탕제원 (밤)**

장기 묘수풀이 책을 보며 홀로 장기를 두고 있는 현규.
그 옆엔 지한이 서 있고.

현규　　(한 수 두며) 아니 그러니까아... 나보고 뭘 어쩌라는 거야.

그제야 보이는 김태호의 모습.
현규의 옆에 고개 숙인 채 서 있다.

김태호　도와주십쇼 형님. 한번만 살려 주십쇼.

현규　　(장기 두며) 뭐 언젠 자기 일에 신경 쓰지 말라며.
　　　　진정이 찔렀다고 뭐라 할 땐 언제고.

지한　　(비웃음 머금고)

현규　　알아서 하세요 지검장님.

	내가 말을 안 해서 그렇지 나도 삐졌어 인마. (한 수)
김태호	(무릎 꿇는, 다급한) 제가 생각이 짧았습니다 형님.
	다신 토 달지 않겠습니다.
	(머리 바닥에 조아리는) 한번만 용서해 주십쇼!
현규	우리 애를 쓰고 싶다고. 걔들이 어딨는진.
김태호	(아무 말 못 하고)
현규	가끔은 내가... 널 왜 데리고 있는지 모르겠어.
지한	(품 웃음 터뜨리는)
김태호	(굴욕적이고)
현규	(곰곰이 생각에 잠기는) 사람이 많이 없는 곳. ...교외. (한 수)
지한	모르는 곳에 두진 않았을 거 같고... 별장일까요?
현규	(지한에게) 신아라 양친이 뭐 하신다 그랬지?
김태호	...!!

한 수를 두는 현규. 지한 보면, 장이다.
그리고 바깥 일각,
차에서 세 명을 대포 카메라로 찍고 있는
한 사람, 강 수사관이다.

S#45 도환의 사무실 (밤)

생각에 잠긴 채 자리에 앉아 있는 도환.
책상 위 핸드폰 진동이 울린다.
도환 핸드폰 보면, 강 수사관이 보낸 사진이 도착해 있다.
김태호와 지한, 현규가 함께 있는 사진.

유심히 사진 보는 도환의 표정.

S#46   **탕제원 밖 (밤)**

자신의 차에 오르는 김태호. 차가 출발한다.
그 모습 바라보던 강 수사관, 자신의 차에 시동 거는데,
똑똑 차창을 두드리는 누군가. 강 수사관 보면, 태 실장이다.

S#47   **탕제원 (밤)**

밖으로 걸음 옮기는 현규와 지한.
지한은 붕어즙 박스를 들고 있다.
그때 안으로 들어오는 사람들,
강 수사관을 거칠게 끌고 들어오는 태 실장이다.

태 실장   염탐을 하고 있었습니다. 검찰 수사관입니다.
          (현규에게 검찰 수사관 신분증 건네주는)
현규   (신분증 보는) 강신조 씨...
          (슬쩍 웃는) 오도환 검사가 시킨 거예요?
강 수사관   ...!!
현규   (웃으며 강 수사관 바라보고)

S#48   **정의 차 안 (밤)**

도로를 달리고 있는 정의 차. 운전 중인 정.

핸드폰 진동이 울린다. 정 보면, **'김태호 지검장.'**이다.

정   (보다가, 받는) 마침 저도 전화 드리려 했는데. 만나시죠.

S#49   **스카이라운지 복도 (밤)**

종업원의 안내 받으며 룸 향해 걸음 옮기는 정.
결연하고 진지한 표정.

S#50   **스카이라운지 (밤)**

안으로 들어오는 정.
자리에 앉아 스테이크를 썰고 있던 김태호.
들어온 정을 보곤,

김태호   음. (자리에 앉으라 손짓) 앉아. 식사 아직 안 했지.
          (종업원에게) 디너 코스 준비해 줘요. 셰프 시그니처로.
정   오다가 빵 하나 먹고 왔습니다.
          (자리에 앉아 빤히 김태호 보는)
          범죄자랑 밥 먹으면 체기가 올라와서.

          미소로 종업원에게 고개 끄덕이는 김태호.
          종업원 당황스레 꾸벅 인사하고 나간다.

김태호   ... 원하는 게 뭐야.

정	(보는)
김태호	돈이나 자리 같은 건 니 취향이 아닌 거 같고...
	기탄없이 얘기해 봐.
정	(창밖 야경 보는) 여긴 자주 오시나 봐요?
김태호	즐겨 찾는 곳이야. 특히나 사이 나쁜 사람과,
	새로운 관계 형성이 필요할 때.
정	(피식 웃곤) 야경이 좋네요. 근데 난 여기보다...
	(김태호 보는) 검사장실 야경이 더 보고 싶은데.
김태호	(스테이크 먹다가 멈칫)
정	지검장 자리 주시죠. 관계 형성 맺어 드리겠습니다.
김태호	(냅킨에 씹던 스테이크 뱉는, 서늘히 정 노려보고)
정	농담입니다 드세요. 진짜 원하는 거 말씀 드리겠습니다.
	검사로서 검사장님한테 여쭤보겠습니다.
	...누굽니까? 당신 뒤에 있는 사람.
김태호	...!!
정	(김태호 바라보는 데서)

S#51   회상, 중도의 승합차 안 (밤)

1씬 연결
헤드폰 낀 채 아라와 김태호의 대화를 듣고 있는 정.

김태호(소리)	아니야!!
아라(소리)	...!!
김태호(소리)	내가 한 게 아니야.

난 그런 계획 알지도 못 했고 난 그냥...!

S#52   **스카이라운지 (밤)**

정   날 죽이려 한 사람은 따로 있단 뜻이었습니다.
       그때 지검장님 말씀은요. 그리고 '어쩔 수 없었다.'
       하수인들이 흔히 하는 말이죠. 난 어쩔 수 없었다.
       난 그저, 시키는 대로 했을 뿐이다.

김태호   (정 노려보는데)

정   소속 검사만 200명이 넘는 우리나라 최대 규모 지검,
       검찰의 중심이라는 여기 중앙 지검 대표이자
       검사들의 장인 김태호 지검장님. 쪽팔린 줄 아십쇼.

김태호   (노려보고)

정   마지막으로 예우를 담아 부탁드리겠습니다.
       누군지 말씀해 주십쇼.

김태호   (무거운) 미안해 진 검사.
       (놀리듯 웃는) 무슨 말인지 모르겠어.

정   (보다가) ...오케이. 당신 나한테 이제 검사 아냐.

       서로를 바라보는 정과 김태호.
       그때 진동 울리는 정의 핸드폰.
       정 보면, 아라에게 온 전화다.
       김태호 앞에서 보란 듯 전화 받는 정.

정   예 선배.

S#53   **펜션 안 거실 (밤)**

핸드폰 통화하며 부검의의 앞에 카메라를 세팅하는 아라.

아라   이철기 수사관한테 연락 왔어. 무사히 아들 만났대.
           (끊고, 부검의에게) 편하게 말씀하시면 됩니다.

S#54   **스카이라운지 (밤)**

정   (핸드폰 내리는) 정재훈 씨가 증언하겠다네요.
           자기한테 부검 조작 지시한 놈이 누군지.
김태호   (정 보다가, 스테이크 먹는)
정   영장 갖고 찾아뵙겠습니다 김태호 씨. 맛있게 드십쇼.

           자리에서 일어서는 정.
           밖으로 나가려다가 멈칫, 김태호를 바라본다.
           묘하게 여유로워 보이는 김태호의 표정.
           뭔가 이상하다. 왠지 모를 불안으로 김태호 바라보는 정.

S#55   **펜션 안 거실, 스카이라운지 교차 (밤)**

           카메라 세팅을 끝낸 아라.
           그때 문득 밖에서 들리는 자동차 소리.
           아라 커튼 살짝 젖히고 창밖 보면,
           승합차 한 대가 펜션 마당으로 들어서고 있다.

승합차에서 내리는 여러 명의 양복들.
성큼성큼 펜션 향해 걸음 옮기고.

아라   !! (재빨리 현관문 잠그는, 핸드폰 전화 걸고)

일어선 채 김태호를 바라보고 있는 정.
핸드폰 진동이 울린다.

정   (받으면)
아라   여기 위치 발각 됐어.
정   !! (설마 싶어 김태호 보면)
김태호   (비릿한 미소 짓고 있고)

펜션 안 거실.
쾅-! 현관 문고리를 부수고 안으로 들어오는 양복들.
거실 둘러보면, 아무도 없다.
방문 향해 걸음 옮기는 양복.
벌컥 방문 열어 보면, 역시나 아무도 없다.
밖으로 나가려다가 멈칫,
바람에 흔들리는 커튼을 발견하는 양복.

S#56   **펜션 뒤편 (밤)**

창문 밖을 살피는 양복.
저쪽, 빠르게 걸음 옮기고 있는 아라와 부검의가 보인다.

| 양복 | 저기 있다! |

!! 이를 악물고 뛰기 시작하는 아라와 부검의.
그 뒤를 쫓는 양복들!

S#57　펜션 밖 일각 (밤)

큰길 도로를 향해 빠르게 뛰어가고 있는 아라와 부검의.
아라 뒤돌아보면,
마침 택시 한 대가 그들에게 다가오고 있다.
안도하는 아라. 손을 들어 택시를 멈춰 세운다.

| 아라 | (부검의와 함께 택시에 오르는) 일단 빨리 출발해 주세요. |

쫓아오는 사람 확인하기 위해 뒤돌아보는 아라.
순간 멈칫, 뭔가 이상하다.
택시가 출발하지 않고 있다.
우르르 택시를 둘러싸는 양복들.

| 아라 | !! |

뒤돌아 아라를 바라보는 기사.
마스크를 한 태 실장이다.
벌컥 택시 뒷좌석 문을 여는 양복.
낭패스런 아라 얼굴 표정.

S#58   스카이라운지 (밤)

자리에 앉아 김태호 노려보고 있는 정.
김태호는 여유 있게 스테이크 즐기고 있고.

정   (서늘한) 생각보다 막가는 분이셨네.
김태호   더 갈 수도 있고.
정   (노려보는데)

옆에 있던 서류철 정에게 밀어 주는 김태호.
정 서류철 열어 보면, 사직서다.

정   ...!!
김태호   내용은 내가 채울 테니까 사인만 해.
           두 사람 살리고 싶으면.
정   신아라 선배... 한때 당신 존경했어.
김태호   근데 왜 그랬을까? 계속 존경했으면 이런 일 없었을 건데.
정   (노려보는데)
김태호   너무 그렇게 보지 마 진 검사. 니들이 자초한 일이야.
정   그 사람한테 무슨 일 생겨 봐. 나 당신 죽일 거야.
김태호   어차피 못하는 거 알아. 물 수 없으면 짖지도 마.

진동 울리는 김태호의 핸드폰. 전화 받는 김태호.

김태호   (듣다가, 핸드폰 내리는, 정에게 비열한 미소로) 어쩌지 진 검사?

게임 끝난 거 같은데.

정　　　　...!!

S#59　　　**펜션 앞 (밤)**

양복1, 2에게 각각 붙들린 채
승합차 향해 끌려가는 아라와 부검의.
승합차 앞에 서 있던 양복3,
부검의 몸을 뒤져 핸드폰을 빼앗는다.
그 모습 바라보는 아라의 표정에서.

S#60　　　**회상, 유도 체육관 (낮)**

유도복을 입고 있는 정과 아라.
아라에게 간단한 호신술을 가르쳐 주고 있는 정.

정　　　　(아라의 어깨와 팔 잡는) 자 상대방이 날 이렇게 잡았다!
　　　　　어떻게 하라고?

고개를 확 뒤로 젖혀 정의 이마를 가격하는 아라.
곧바로 정의 팔 잡아 엎어치기를 날린다.
우당탕 바닥에 쓰러져 널브러지는 정.

아라　　!! (자기도 놀라) 미안해 괜찮아?
정　　　　(벌떡 일어나, 아파 죽겠는 거 꾹 참고) 예 뭐 이 정도야 뭐,

아유 잘 하시네 소도 때려잡겠어.

아라	(자세 잡아보다가, 고개 갸웃) 다시 잡아 봐.
정	…!!

S#61   펜션 앞 (밤)

아라를 몸수색하기 위해 다가오는 양복3.

아라	(결심한 듯 부검의에게) 신호하면 무조건 뛰세요.
부검의	예?

말이 끝나기 무섭게 이마로 양복3의 코를 가격하는 아라.
곧바로 고개 확 젖혀 뒤통수로 양복1의 코를 가격,
정에게 배운 호신술 그대로 양복1의 팔 잡아
엎어치기를 날린다.
양복1과 함께 나동그라지는 양복2.

아라	(달려 나가며) 뛰어요!

빠르게 자신의 차를 향해 달려가는 아라와 부검의.
그 뒤를 쫓는 양복들!
차에 올라탄 아라와 부검의. 시동 걸려는 그때!
와장창 운전석과 조수석 차창을 깨부수는 양복들.
깨진 차창 안으로 손을 넣어 잠긴 조수석 문을 연다.
이내 강제로 부검의를 차 밖으로 빼내고.

아라   !!

어쩔 수 없다.
자신을 빼내려 하는 양복들 아랑곳하지 않고
엑셀을 꾹 밟는 아라.
양복들 젖히고 달려 나가는 아라의 차!

S#62   **아라의 차 안 (밤)**

빠른 속도로 도로를 달리는 아라의 차.
맞은편 차선에서 철기의 차가 다가오고 있는 게 보인다.
끼이익 핸들을 틀어 철기의 차를 가로막는 아라.
차에서 내려 철기에게 뛰어간다.

아라   (운전석 문 열곤) 진 검사한테 전화해요. 빨리!

S#63   **스카이라운지 (밤)**

사직서를 바라보고 있는 정.
김태호는 외투 입으며 나갈 준비 하고 있다.

김태호   너무 오래 걸리는 거 아냐?
정   (사직서 보다가, 결심한 듯) 이대로 끝이라 생각하지 마.
김태호   (무심히 나갈 준비하고)
정   지검장 자리도 비워 놓지 마. 내가 꼭 다시 찾아갈 테니까.

김태호	(냉소) 과한 허세는 객기야 진 검사.
	검찰 옷 벗는 니가 날 어떻게...

하며 정 보면, 흔들림 없는 단호한 의지로
김태호 바라보고 있는 정.
정이 진심이란 걸 느끼는 김태호.
입가에 웃음기 사라진다.
김태호 노려보다가 펜을 드는 정.
서명란에 사인하려는 그때,
갑자기 진동 울리는 핸드폰. 철기에게 온 전화다.
정 전화 받으면,

아라(소리)	어디야!
정	...!!
아라(소리)	김태호랑 같이 있지!
	당장 바꿔 그 새끼 내가 죽여 버릴...
	(하는데)
정	(픽 웃으며 끊는, 김태호 바라보며) 어쩌지 김태호 씨?
	게임 아직 안 끝난 거 같은데.
김태호	(뭐? 정 보는)
정	신아라 선배가 전해 달라네. 자기가 당신... (하다가)
	나중에 직접 들으시고,
	(김태호에게 다가가, 사직서 품에 넣어 주는)
	이건 나보다 그쪽이.
	수의복 입을 건데 검찰 신분은 좀 그렇잖아.

밖으로 나가는 정.
그런 정 바라보다가 핸드폰 전화 거는 김태호.

김태호   (상대방 받으면) 김태호입니다. 방금 얘기 들었습니다.
　　　　　　잡은 놈부터 처리하시죠.

　　　　　　품에서 사직서를 꺼내는 김태호.
　　　　　　사직서를 찢기 시작한다.
　　　　　　서늘한 김태호의 표정에서.

S#64   **한강 다리 밑 (밤)**

　　　　　　급히 멈춰 서는 정의 차.
　　　　　　정 차에서 내리면, 잠시 후 철기의 차가 도착한다.
　　　　　　차에서 내리는 아라, 철기와 중도 은지.

정   (아라에게 다가가) 괜찮아요?
아라   불행 중 다행으로. 문제는 부검의야.
　　　　　　최대한 빨리 찾지 않으면 위험해.
은지   어떻게 찾아?
정   (표정 난감해지는데)
아라   이러고 있을 시간 없어. 바로 가자.
　　　　　　(정의 차 향해 다가가는)

　　　　　　엥? 아라 바라보는 정과 세 사람.

아라	(조수석 문 열곤) 뭐 해 안 갈 거야?
철기	검사님, 부검의가 어딨는진 어떻게 알고...
아라	(세 사람 보는)

◀ **플래시백**

7화 61씬 연결

강제로 부검의를 차 밖으로 빼내는 양복들.
혼란스러운 틈을 타 부검의의 주머니 안에
자신의 핸드폰을 집어 넣는 아라.

와우...
감탄으로 벙쪄서 아라 바라보는 정과 세 사람.
거만하게 그들 바라보는 아라의 모습에서.

S#65　　**도로 (밤)**

도로를 달리고 있는 정의 차.
그 뒤를 이어 철기의 차가 따라 달려가고.
초조한 얼굴로 아무 말 없는 정과 아라.

S#66　　**김태호의 집 지하 주차장 (밤)**

차에서 내리는 김태호.
아파트 입구 향해 걸음 옮기는 그때,

| 박재경(소리) | 태호야. |

김태호 돌아보면, 박재경이 다가오고 있다.

김태호	(의외라는 듯 박재경 보는)
박재경	(멋쩍은 웃음) 오랜만이다.
김태호	무슨 일이야?
박재경	오징어도 아니고 건조하긴.
	동기가 동기 보러 오는 것도 안 되냐?
김태호	피곤해. 용건만 말해.
박재경	진 검사 다친 거, 서현규 작품이야?
김태호	(놀라 보다가, 이내 냉소로) 너였어? 진 검사 숨겨 준 거.
박재경	서 대표한테 전해. 더 이상 그놈 건들지 말라고.
김태호	(피식) 그새 정이라도 든 거야?
박재경	(시선 내리는, 표정 가라앉고)
김태호	(진심 어린) 그러지 마라 재경아.
	너 그러다 또 옛날 꼴 나면 어쩌려 그러냐.
박재경	…!!
김태호	쓸데없는 짓하지 말고 지금처럼 살아.
	(지갑에서 5만 원권 몇 장 꺼내 건네는)
	이걸로 준수랑 제수씨 좋아하는 거 사 주고.
박재경	(안 받고 보면)
김태호	(박재경 바지 주머니에 넣어 주며) 그때 니 가족 일은…
	유감스럽게 생각한다.
박재경	!! (확 김태호 먹살 잡고 노려보는)

김태호	그러게 왜 그랬냐. 내가 서현규 건들지 말라 했잖아.
박재경	(노려보고)
김태호	(거칠게 멱살 잡은 손 풀곤) 난 분명 경고했고
	경고를 안 들은 건 너야 박재경.
	그러니까 이번엔 들어.
	니가 아니라 니 주변 사람을 위해.

잠시 박재경 바라보다가 아파트 입구 향해
걸음 옮기는 김태호.
그런 김태호 바라보는 박재경의 모습에서.

S#67　**다리 위 (밤)**

오래전 공사가 멈춘 듯 보이는 다리 위.
승용차 한 대와 승합차가 멈춰 선다.
승용차에서 내리는 태 실장.
승합차에선 양복들이 부검의를 끌고 내린다.
손에 멸균 장갑을 끼는 태 실장.
약물이 담긴 주사기 꺼내 부검의에게 다가간다.

부검의	(버둥거리는) 뭐, 뭐 하는 거야?!

망설임 없이 부검의의 목에 주사기를 꽂아 넣는 태 실장.
약물이 체내에 들어가고,
이내 푹 정신을 잃고 마는 부검의.

(경과)

끊어진 다리 앞에 위태롭게 서 있는 승용차.

정신을 잃은 부검의를 승용차 운전석에 앉히는 양복들.

소주를 부검의 입에 털어 넣곤

빈 병 몇 개를 조수석에 버린다.

그 사이 태 실장은 핸드폰 메모장에 유서를 쓰고.

핸드폰을 부검의의 품에 넣는 태 실장.

기어를 중립으로 놓고 엑셀에 나무토막을 고정시키는 양복.

기어봉 묶은 노끈을 태 실장에게 건네준다.

태 실장 노끈 당기려는 그때!

정(소리)　　　오케이 거기까지.

태 실장과 양복들 돌아보면,

자동차 전조등 역광으로 받으며 서 있는 세 사람,

목검을 든 정과 랩터 가위 들고 있는 은지, 철기다!

정　　　　(태 실장 향해) 마스크 숨 안 막히냐?

　　　　　초면도 아닌데 얼굴 좀 까지?

태 실장　　(정 바라보며 품에서 칼 꺼내는)

정　　　　하여튼 한 번에 말 듣는 법이 없어요...

　　　　　미리 말하는데 저번이랑은 다를 거야.

　　　　　이번엔 기습도 안 되고 무엇보다 내가...

정의 말이 끝나기도 전에 달려드는 양복.

목검을 휘둘러 단박에 양복을 쓰러뜨리는 정.

정   ... 원수는 안 잊는 놈이거든.

정과 두 사람에게 달려드는 양복들.
목검을 휘두르며 양복들 제압해 나가는 정.
철기와 은지도 합심해 놈들과 맞붙고.

S#68   **철기의 차 안 (밤)**

가만히 앉아서
사람들 싸움 구경하고 있는 아라와 중도.

중도   이러고 있어도 괜찮겠죠?
아라   싸움 잘하세요?
중도   아 저는 머리로 싸우는 스타일이라...
아라   저도 그래요.
           괜히 나섰다 민폐 되지 말고 기다리자고요.
중도   역시 검사님. (엄지척!) 두뇌파.

아라 문득 차창 밖 보면,
다리 일각, 태 실장의 차가 서 있다.
태 실장의 차 번호판을 유심히 보는 아라.

S#69   **다리 위 (밤)**

싸움이 정리되는 분위기.
마지막 남은 양복에게 일격을 가하며 상황을 정리하는 정.
승용차로 달려가 정신 잃은 부검의를 빼내는 정.
문득 불길한 기분에 뒤돌아보면,
어느새 지척까지 와 있는 태 실장의 칼!
가까스로 태 실장의 팔을 잡고 버티는 정.
서로를 노려보며 힘 싸움을 하는 정과 태 실장.
어느 순간 태 실장, 조금씩 밀리기 시작한다.
손을 뻗어 태 실장의 마스크를 뜯어내려 하는 정.
하지만 그때, 근처에 있던 양복이 정에게 소리를 지르며
정에게 달려들고!
어쩔 수 없이 태 실장을 밀치고 양복을 상대하는 정.
그 사이 태 실장, 쓰러져 있는 부검의를 바라본다.
칼을 든 채 다가가기 시작한다.

정   (그 모습 보곤 표정 얼어붙는) !!

푹! 부검의의 배를 칼로 찌르는 태 실장.
경악해 부검의에게 달려가는 정. 하지만 태 실장,
한발 먼저 부검의를 다리 밖으로 밀어 버리고...!
!! 몸을 날려 떨어지는 부검의를 붙잡는 정.
힘겹게 부검의를 끌어올리기 시작한다.
무방비 상태인 정을 향해 칼을 치켜드는 태 실장.
그때 정의 앞을 지키듯 서는 두 사람, 철기와 은지다.
태 실장 주위 둘러보면,

사방에 널브러져 신음하고 있는 양복들 뿐.
잠시 철기와 은지 바라보다가 일각에 서 있는
자신의 차 향해 걸음 옮기는 태 실장.

은지	(태 실장 쫓아가려는데)
철기	(말리곤) 검사님부터입니다.

정을 도와 함께 부검의를 끌어올리는 철기와 은지.

정	정재훈 씨 정신 차려! 정재훈 씨!

이미 절명한 듯 움직이지 않는 부검의.
다 끝났다. 허탈하고 망연자실한 정의 표정.

S#70   몽타주

/ 김태호의 집 방 안 (밤)
낡고 오래된 법전을 꺼내 드는 김태호.
모든 페이지들이 수십 수백 번 읽은 듯 손때 묻고 해져 있다.
빈틈을 찾을 수 없을 만큼 빼곡한 메모와 주석, 밑줄 등.
김태호가 눈치채지 못하는 사이 책 사이 껴 있던
사진 한 장이 바닥에 떨어진다.
사법연수원을 배경으로,
과거(20여 년 전)
박재경과 김태호가 웃고 있는 사진이다.

/ 봉안당 (밤)

아들과 아내의 사진, 유골함을 바라보고 있는 박재경.

손에는 장난감과 장미 꽃다발을 들고 있다.

가슴 아픈 얼굴로 사진 바라보는 박재경.

/ 도환의 사무실 (밤)

도환에게 현규의 명함을 건네주는 강 수사관.

도환 보면, 우아한 필기체로 직함과 명함만 쓰여 있다.

'로펌 강산 대표, 서현규.'

/ PPL, 스크린 골프장 (밤)

스크린 골프장 내부 간판 및 실내 전경이 보이고.

티샷을 치는 현규. 소파에서 일어나 박수 치는 지한.

지한   아버지 자세가 전보다 훨씬 좋은데요?

현규   (미소로 트랙맨(스윙 분석기) 확인하는)

            얘가 아주 분석하는 게 요물이야.

            실력이 안 늘 수가 없어. (티샷 자세 잡고)

지한   인테리어 좋고 연습장 잘 옮기셨네요.

            골프채 들고 옆자리로 가는 지한.

            티샷 자세를 잡는다.

현규   내가 생각을 해 봤는데...

            진씨 성이 흔한 게 아니란 말이지?

얼굴도 묘하게 낯이 익고.

지한   (현규 보는)

현규   연이라는 게 참... 재밌다.

힘차게 티샷 날리는 현규.
스크린 상에서 날아가는 공을 보며 여유 있게 미소 짓고.

S#71   **중앙 지검 전경 (낮)**

S#72   **김태호 지검장실 (낮)**

자리에 앉아 업무를 보고 있는 김태호.
문득 밖에서 들리는 시끄러운 소리.

여비서(소리)   잠시만요! 함부로 들어가시면...!

곧이어 쾅!
문을 박차고 안으로 들어오는 한 사람,
정이다.

김태호   (뒤따라온 여비서에게) 괜찮으니까 나가 봐요.

여비서   (꾸벅 인사 후 나가는, 문 닫히면)

김태호   내가 따로 연락을 받은 기억은 없고...
             이건 너무 무례한 거 같은데.

정   (서늘히 김태호 보는)

김태호	(책상 위 전화 울린다, 받는) 음, 5분 있다 출발.
	(수화기 내리는, 일어서 재킷 챙겨 입으며)
	대검에서 전국 검사장 회의가 있어.
	용건 있음 빨리 말하고...
정	(책상 위 전화 수화기 드는, 상대방 받으면) 진 검사입니다.
	대검에 전화하세요 지검장님 회의 못 가신다고.
김태호	(당황스레 정 보면)
정	김태호 씨.
	당신을 살인사건 은폐 및 증거 조작 사주,
	협박과 납치 살인미수 교사 혐의로
	긴급 체포하겠습니다.
김태호	뭐?
정	말했잖아. 당신 이제 끝이라고.
	동시에 지검장실 문을 열고 들어오는 사람들,
	아라와 부검의다...!
김태호	!!
정	(김태호 바라보는 표정에서)

S#73 **회상, 다리 위 (밤)**

69씬 연결

| 정 | 정재훈 씨 정신 차려! 정재훈 씨! |

이미 절명한 듯 움직이지 않는 부검의.
다 끝났다. 허탈하고 망연자실한 정의 표정.

정   (잠시 있다가, 확 표정 바꾸는) 갔지?
철기   갔습니다.

부검의의 옷을 들추는 정.
그 안,
돼지고기로 둘러싸여 있는 방검복이 보이고!

S#74   **회상, 펜션 안 거실 (밤)**

부검의에게 방검복을 건네주는 아라.
그 옆엔 정이 서 있고.

아라   이번엔 무사히 넘어갔어도 다음엔 몰라요.
            자나 깨나 입고 다니세요.
부검의   (방검복 입는)
정   (고개 갸웃) 칼로 찌르면 다 티 날 거 같은데...
            장치 하나 추가하죠.

            (경과)
            돼지고기로 둘러싸인 방검복 입고 있는 부검의.
            만족스레 고개 끄덕이는 정과 아라.
            하이 파이브를 하는 두 사람. 짝!

S#75   **김태호 지검장실 (낮)**

품에서 수갑을 꺼내는 정. 김태호의 손에 수갑을 채운다.
얼어붙은 표정의 김태호.
김태호 바라보는 정의 모습에서...!!

- 7화 끝 -

episode 8

김태호의 손에 수갑을 채우는 정.
이제 남은 건 이장원 차장검사를 살
해한 놈. 그리고 김태호의 뒤에 숨
어 있는 또 다른 누군가다. 로펌 강
산의 태 실장을 용의자로 두고 수사
하던 중 정은 이장원 차장검사 살해
이유가 그가 갖고 있던 MP3 안 파
일 때문임을 알게 된다.

S#1   **김태호 지검장실 (낮)**

자리에 앉아 업무를 보고 있는 김태호.
문득 밖에서 들리는 시끄러운 소리.

여비서(소리)   잠시만요! 함부로 들어가시면...!

곧이어 쾅!
문을 박차고 안으로 들어오는 한 사람, 정이다.

김태호   (뒤따라온 여비서에게) 괜찮으니까 나가 봐요.

여비서   (꾸벅 인사 후 나가는, 문 닫히면)

김태호   내가 따로 연락을 받은 기억은 없고...
               이건 너무 무례한 거 같은데.

정   (서늘히 김태호 보는)

김태호   (책상 위 전화 울린다, 받는) 음, 5분 있다 출발.

(수화기 내리는, 일어서 재킷 챙겨 입으며)

대검에서 전국 검사장 회의가 있어.

용건 있음 빨리 말하고...

정   (책상 위 전화 수화기 드는, 상대방 받으면) 진 검사입니다.

대검에 전화하세요 지검장님 회의 못 가신다고.

김태호   (당황스레 정 보면)

정   김태호 씨. 당신을 살인사건 은폐 및 증거 조작 사주,

협박과 납치 살인미수 교사 혐의로 긴급 체포하겠습니다.

김태호   뭐?

정   말했잖아. 당신 이제 끝이라고.

동시에 지검장실 문을 열고 들어오는 사람들,

아라와 부검의다...!

김태호   !!

품에서 수갑을 꺼내는 정. 김태호의 손에 수갑을 채운다.

얼어붙은 표정의 김태호.

그런 김태호를 복잡한 얼굴로 바라보는 아라.

김태호 바라보는 정의 모습에서.

S#2   **검찰청 복도 (낮)**

빠른 속도로 걸음 옮기는 도환. 초조한 표정.

그때 맞은편에서 걸어오는 감찰(30대 남)과 직원들.

도환의 앞에 서서,

감찰   오도환 검사님?

도환   (보면)

감찰   (감찰과 신분증 보여 주는) 대검 감찰부에서 나왔습니다.

도환   ...!!

감찰   조용히 모시겠습니다.

도환   (이 악무는 표정에서)

S#3   **검찰청 취조실 [낮]**

테이블을 사이에 두고 마주 앉아 있는 정과 김태호.

정   부검의 입에서 당신 이름이 나왔어.
     쉽게 **빠져나가긴** 어려울 거야.

김태호   (여유 있는) 언제든 바뀌는 게 증언 아니었나?
     난 그렇게 알고 있었는데.

정   알기만 해 그렇게 안 될 거니까.
     내가 다 밝혀낼 거거든 당신 여죄랑 뒤에 있는 놈까지.

김태호   (보는)

정   (보다가) ... 왜 그런 겁니까.

김태호   (무슨 말인가 싶은, 정 보면)

정   궁금해서 묻는 겁니다.
     대체 왜 뭘 얻겠다고 누구를 위해 충성하면서,
     검사로서 사명감 따윈 내다 버린 건지.

김태호	사명감이라... 애초에 우리한테 그런 게 있었나?
	5년마다 주인 바꿔 모시는 권력의 사냥개 주제에?
정	(보는)
김태호	힘이 필요했어. 누구에게도 간섭받지 않는 강한 검찰,
	그런 검찰을 만들 수 있는 위치까지 올라가기 위해선.
정	권력에 맞서기 위해 권력의 힘을 빌린다.
	주인 바꿨단 소리로 밖엔 안 들리는데.
김태호	필요악이란 게 있으니까.
정	(보는)
김태호	난 우리 조직을 지키기 위해 최선의 선택을 한 것뿐이야.
	난 틀리지 않았어 진 검사.
정	아니. 당신은 틀렸어.
김태호	(보는)
정	검찰을 지키기 위해? 당신이 뭐라고 우릴 지켜?
	착각하지 마세요 김태호 씨.
	우릴 지켜 주는 건 힘이나 위치가 아니야. 법과 국민이야.
김태호	(바라보고)
정	내가 증명해 줄게.
	당신의 그 알량한 신념이 얼마나 잘못된 건지,
	당신이 믿는 그 힘이라는 게 얼마나 허무하게 박살 나는지.

일어서 밖으로 걸음 옮기는 정. 문 열려 하는 그때,

| 김태호 | 넌 니가 맞다 생각하지. |
| 정 | (멈칫, 김태호 보는) |

김태호	아무리 검사 개개인이 하나의 관청이라 해도
	그 안에도 계급은 존재해.
	상명하복이 뿌리 깊은 폐해라 해도
	그게 검찰을 이끌어 온 원동력이란 건 분명한 사실이고.
정	(보는)
김태호	넌 니가 스스로 정의롭다 생각하겠지만
	아니야 진 검사.
	조직 전체로 봤을 땐 넌 그냥 망가진 불량품이야.
	박스 안 썩은 사과, 모두를 망가뜨리는 교란종.
	그게 진 검사 너란 놈이라고.
정	(보는)
김태호	지금까지 니가 한 짓을 봐.
	너 하나 때문에 우리 검찰 조직 전체가 무너지고 있어.
	(비릿한 미소로) 이러다 우리가 아무 힘도 권위도
	없어지게 되면, 과연 다음 검찰엔 누가 남을까?
정	... 진짜 검사만 남겠지.
김태호	(입가에 미소 사라지고)
정	(잠시 김태호 보다가, 밖으로 나가는)

S#4   **검찰청 복도 [낮]**

결연히 걸음 옮기는 정의 모습에서.

진검승부

S#5   **정의 차 안 (낮)**

도로를 달리는 정의 차.
운전석엔 정, 조수석엔 아라가 타 있고.

아라   마약 구매 장부 다섯 명 중 네 명은 알리바이 확인했어.
      마지막으로 한 놈 남은 건...
정   (말 받듯) 태형욱. 로펌 강산 비서실장.
아라   장부 하나만으론 영장 받기 힘들어.
      증거 자체가 불법 취득이고 용의자랑 범죄 사실
      인과 관계도 확실하지 않으니까.
정   가끔은 직진이 직방일 때도 있습니다.
      뭐라 하는지 들어나 보자고요.
아라   무슨 소리야?

멈춰 서는 정의 차.
차에서 내려 어느 건물을 바라보는 정.
아라, 정 따라 차에서 내려 건물 바라보면,
로펌 강산이다.

아라   ...이런 건 미리 좀 말해 주면 안 될까?
정   일단 들어가시죠.

성큼성큼 강산 건물 향해 걸음 옮기는 정.
어쩔 수 없이 따라가는 아라.

S#6   **로펌 강산 로비 (낮)**

안내 데스크 앞에 서 있는 정과 아라.

안내   반갑습니다 무엇을 도와드릴까요?

정   여기 비서실장 만나러 왔습니다. 태형욱이라고.

안내   성함이 어떻게 되십니까?

정   진정.

안내   (키보드 두드리는) 진정 님...

      (고개 갸웃) 혹시 약속은 하고 오신 건가요?

정   아뇨 그냥 쳐들어왔는데?

안내   죄송합니다.

      사전 약속이 없으시면 실장님과 접견은 불가합니다.

정   그래요? 그럼 지금 예약할게요 최대한 빨리 우선 예약.

아라   노래방이냐?

      (안내에게 검찰 신분증 보여 주는) 중앙 지검에서 나왔습니다.

      일전에도 한 번 왔었는데... (하는데)

지한(소리)   무슨 일이시죠?

정과 아라 돌아보면, 지한이 다가오고 있다.

지한   (아라에게, 미소로) 검사님 또 보네요. 근데 이쪽은...

정   (지한 보는)

지한   서지한입니다. 저한테 말씀하시죠.

서로를 바라보는 정과 지한.

S#7   **지한의 사무실 (낮)**

소파에 마주 앉아 있는 정과 지한.
정 옆엔 아라가 앉아 있고.

정   태형욱 실장, 어딨습니까.
지한   (차 마시다가 멈칫, 피식 웃는) 검사님 성격이 많이 급하시네.
        앉자마자 본론 들어가시고.
정   한국인이라서.
        지금 당장 불러 주시죠. 아님 어딨는지라도.
지한   여전히 태 실장님을 보고 싶어 하시는 이유는...
        내사 중인 사안이고요?
아라   아시겠지만 검찰에겐 비밀 엄수 의무가 있습니다.
        내사 및 수사 중인 사안을 함부로 외부에 유출할 수는...
        (하는데)
정   이장원 차장검사 살인 용의자입니다.
아라   !! (놀라 정 보는)
정   돌아갈 때가 아니라니까.
        (지한에게) 용의자 조사 차원에서 나왔습니다.
        협조해 주시죠.
지한   잠시만, 잠시만요.
        저희 태 실장님이 살인을요? 차장검사님을?
정   (지긋이 지한 보는)

지한   (짐짓 심각한 척) 죄송하지만 저희 쪽에서도 상황을 확인하고
정리할 시간이 필요할 거 같습니다.
실례가 안 된다면 오늘은 여기까지... (하는데)

정   (서늘한) 서지한 변호사님. 다시 말 안 합니다.
핑계 대지 말고 데려오세요.

지한   (표정 서늘해지고) 말씀에 예의가 없으시네. 진정 검사님.

정   예의 차릴 상황은 아닌 거 같아서.

지한   만나게 해 드릴 수 없다면?

정   합리적 의심을 하겠죠.
로펌 강산이 차장님 사건과 깊숙이 관련되어 있단.

지한   (정 보다가) ...알겠습니다. 만나게 해 드리죠.

책상 향해 걸음 옮기는 지한. 책상 위 전화 수화기 들곤,

지한   태 실장님 올라오라 하세요.

(경과)
똑똑 노크 소리. 태 실장이 안으로 들어온다.

태 실장   부르셨습니까.

정   (태 실장 바라보는 데서)

S#8   **검찰청 복도 (낮)**

자신의 사무실을 향해 걸음 옮기는 도환.

감찰(소리)	(고압적인) 김태호 지검장에게
	이장원 차장 사건 조작과 관련,

S#9 회상, 감찰과 사무실 (낮)

책상을 사이에 두고 마주 앉아 있는 감찰과 도환.

감찰	(노트북 두드리며) 별도의 지시를 받은 적 있습니까?
도환	없습니다.
감찰	김태호 지검장이 이장원 차장 사건 관련 증거를
	조작했단 사실, 알고 있었습니까?
도환	몰랐습니다.
감찰	이장원 차장을 부검한 국과수 부검의를 겁박,
	위증을 지시한 적이 있습니까?
도환	없습니다.
감찰	(한숨 내쉬며 도환 노려보는)
	이봐요 오 검사, 당신 나랑 장난해?
	당신 김태호 지검장 시다라고 대검까지 소문 자자해.
	근데 전혀 몰랐다는 게 말이 돼?!
도환	몰랐습니다.
감찰	이 새끼 더럽게 뻔뻔하네... 너 여기 어딘지 몰라?
	대검 감찰부야 새꺄 옷 벗기 전까진 못 나가는 데.
도환	(살짝 긴장하고)
감찰	어차피 털면 다 나오고 당신 수의복 입는 건 확정이야.
	(서류 탁탁 정리하며) 다음 조사는 쉽게 갑시다.

핸드폰 켜 놓으시고.

도환   (초조한 표정에서)

S#10   **도환의 사무실 (낮)**

안으로 들어오는 도환.
멈칫 사무실 안 보면, 이미 감찰과에서 한바탕
쓸고 지나간 듯 엉망이 되어 있는 사무실.

강 수사관   감찰과에서 압수 수색을 진행했습니다.

힘없이 자리에 앉는 도환.
깊은 한숨 내쉬며 마른세수를 한다.
문득 눈에 띄는 바닥에 무언가, 현규의 명함이다.
명함을 주워 드는 도환. 명함 바라보는 표정에서.

S#11   **지한의 사무실 (낮)**

소파에 앉아 있는 정과 아라.
맞은편엔 태 실장이 앉아 있다.
지한은 소파 상석에서 세 사람 지켜보고 있고.

정   (태 실장의 손 보곤) 비서치곤 손이 많이 거치시네요.
태 실장   손이 건조한 편이라서요.
정   마약 하십니까?

태 실장	예?
지한	(나서는) 검사님 그 질문은... (하는데)
정	(시선 태 실장에게 둔 채, 손으로 말 막는)
	마약 총책이 갖고 있던 구매자 목록에서
	실장님 이름이 나왔습니다.
	사망한 이장원 차장의 체내에서 검출된 마약과
	동일 성분의 마약이요. 설명해 주시죠.
태 실장	모르는 일입니다.
아라	(태 실장 보는)
정	모르는 일이다... 그게 답니까?
태 실장	제 개인정보가 새 나갔을 순 있겠군요.
	제가 말씀 드릴 수 있는 건 이게 답니다.
정	이장원 차장검사님을 알고 계십니까?
태 실장	뉴스에서 봤습니다.
정	개인적으론?
태 실장	모릅니다.
정	이장원 차장검사 사망 사건 당일,
	밤 10시에서 11시 사이 어디 계셨습니까.
태 실장	(정 보는)
정	(서늘히 그 시선 마주하고)
태 실장	전 단순한 면담인 줄 알았는데... 이제 보니 취조였네요.
정	말을 돌리시네요?
태 실장	이미 제가 범인이라 특정하시고 질문하는 거 같아서요.
정	용의자에서 제외하기 위한 질문이기도 하죠.
태 실장	퇴근 후 운동 중이었습니다.

필요하시다면 알리바이 CCTV 영상 보내드리겠습니다.

아라	(표정)
지한	(남몰래 웃음 짓고)
태 실장	더 질문 없으시면 일어나 보겠습니다.
정	(태 실장 보다가, 결국 고개 끄덕이는)

자리에서 일어서는 태 실장. 밖을 향해 걸음 옮긴다.
태 실장의 뒷모습을 바라보는 정.
순간 느껴지는 어떤 기시감.

정	(태 실장 바라보다가) 태형욱 실장님?

태 실장에게 다가가는 정.
품에서 펜을 꺼내 확 태 실장의 눈을 찌른다...!
!! 그 모습 놀라 바라보는 아라인데,
태 실장의 눈 바로 앞에서 멈추는 펜.
표정 변화 없이 정을 바라보는 태 실장.
그런 태 실장을 노려보는 정.

지한	(서늘한) 뭐 하는 겁니까?
정	(태 실장 노려보는)
태 실장	(담담히 정 바라보고)
지한	이봐요 진 검사님!
정	(태 실장 보다가) ...죄송합니다. 제가 착각을 한 거 같습니다.
아라	(정 바라보고)

정	큰 실례를 범했습니다. 진심으로 사죄드립니다. (꾸벅 인사하는)

S#12 로펌 강산 엘리베이터 (낮)

내려가고 있는 엘리베이터.
서 있는 정과 아라.
심각한 얼굴로 생각에 잠겨 있는 정.

아라	제정신이야? 태형욱 저 사람이 고소라도 하면 어쩌게 대체 왜 그런 미친 짓을...! (하는데)
정	저놈 맞아요.
아라	뭐?
정	보통 사람이라면 그 상황에서 최소한 눈은 감았어야 됐어요. 근데 저놈은 아니었어. 눈 하나 깜빡이지도 않았어요.

◀ **플래시백**

8화 11씬
태 실장의 눈 바로 앞에서 멈추는 펜.
표정 변화 없이 정을 바라보는 태 실장.

아라	오히려 너무 침착했다...?
정	필요 이상으로. 마치 내가 멈출 걸 알고 있었던 것처럼. 프로예요 저놈.

아라	니 말이 맞다 해도 아직은 심증이야.
	가능성은 열어 놓되 예단하진 말고...

하는 그때, 땅- 중간에 멈추는 엘리베이터.
문이 열린다. 한 사람이 안으로 들어온다. 현규다.
대화를 멈추는 정과 아라.
다시 내려가기 시작하는 엘리베이터.

현규	(잠시 있다가) ...중앙 지검 진정 검사님?
정	예 그렇습니다만.
현규	만나 봬서 영광입니다. 여기 대표 서현규입니다.
	(꾸벅 인사하는)
정	저를 어떻게...?
현규	(능치는) 모를 리가 있나요
	김태호 지검장을 구치소에 보낸 분이신데.
	사실 식구 등에 칼 박는 게 보통이 아니면
	할 수가 없는 일이거든요.
	소문대로 대단하십니다.
정	칭찬 감사합니다.
현규	근데 이런 누추한 데까진 어쩐 일로?

서로를 바라보는 정과 현규.
두 사람 사이 묘한 긴장감이 흐르고.
땅- 1층에 도착한 엘리베이터 문이 열린다.

현규	언제든 연락 주십쇼.
	전망 좋은 데로 방 준비하겠습니다.
정	말씀만 받겠습니다. 그럼.

살짝 목례하고 밖으로 나가는 정과 아라.
걸음 옮기는 두 사람을 미소로 바라보는 현규.
엘리베이터 문이 닫힌다.

S#13   **민원봉사 사무실, 정의 차 안 교차 (낮)**

핸드폰 통화 중인 철기.
가운데 테이블엔 중도와 은지가 앉아 있고.

| 철기 | 태형욱 실장이요? (중도에게 검색해 보라 손짓하는) |
| 중도 | (노트북 키보드 두드리고) |

도로를 달리고 있는 정의 차.
운전하며 통화 중인 정. 조수석엔 아라가 타 있다.

정	그놈이랑 관련된 거라면 뭐든 상관없어.
	일거수일투족 알아낼 수 있는 거라면 싹 다 끌어모아.
	차장님 사건 당일부터 지금까지 행적이랑
	알리바이 전부 조사하고.
철기	알겠습니다.
정	(핸드폰 내리면)

아라	분명 어딘가 허점이 있을 거야.
	진술이든 알리바이든 그 여자가 정말
	차장님 살인 피의자라면.
정	(결연한) 뭐가 됐든 하나면 됩니다.
	옭아맬 수 있는 증거 딱 하나.
아라	(정 보는)
정	11층에서 사람을 떨어뜨려 죽였어요.
	그것도 멀쩡히 살아있던 사람을.
	(이 악무는) 무조건 제가 잡을 겁니다.
아라	그걸 왜 니가 잡아. 같이 잡아.

미소 짓는 정. 그때 진동 울리는 정의 핸드폰.
정 발신자 번호 보곤 멈칫, 바싹 긴장한다.

아라	(정 표정 보곤) 왜? 누군데?
정	(잠시 핸드폰 보다가, 목소리 가다듬고 받는) 어 엄마.
아라	(엄마? 표정)
정의 모(소리)	아들, 목소리 듣기가 왜 이렇게 힘들어?
	엄마 너 죽은 줄 알았어.
정	그건 아니고 내가 안 그래도 전화하려 했는데... (하는데)
정의 모(소리)	튀어와 뒤지기 싫음.
정	엄마 근데 내가 지금 바빠 가지고...
	(끊겼다, 아라 보는) 밥 먹을래요?

S#14 **정의 모 가게 (밤)**

화사하고 우아한 미소로 정과 아라의 테이블에
소고기 놔주는 정의 모.

정의 모   귀한 손님 올 줄 알았으면 장이라도 봐오는 건데,

            차린 게 없어 미안해요.

정   (갑자기 왜 저래? 인상 쓰며 엄마 보는)

아라   잘 먹겠습니다.

정의 모   세상에 얼굴만 예쁜 줄 알았더니 예의도 바르시네.

            이름이 뭐예요?

아라   신아라입니다.

            어머니 식사하셨어요? 안 하셨음 같이 해요.

정의 모   마음씨도 어쩜 그리 고울까...

            그래도 남녀가 밥 먹는데 어른이 끼는 건 모양새가 그렇지.

정   어 맞아 가 엄마.

정의 모   (정색, 서늘) 고기나 구워.

정   (얌전히 고기 굽고)

아라   저 어른들이랑 밥 먹는 거 좋아해요.

            (옆자리 비워 주는) 앉으세요.

정의 모   그럼 염치 불구하고.

            (옆자리 앉는) 실례지만 올해 나이가 몇 살?

아라   서른셋입니다.

정의 모   어머 어쩜 좋아

            난 스무 살인 줄 알았잖아 피부가 너무 좋아서.

아라   제가 봤을 땐 어머니가 더 좋은 거 같은데?

            저 아까 깜짝 놀랐어요 진 검사가 엄마라 그래 가지고.

정의 모	제가 좀 동안이긴 해요.
	다 익었다 먹어 먹어, 이게 우리 가게에서 제일 좋은 거야.

정이 고기 집으려는 거 젓가락으로 탁 치곤
아라 앞에 놔주는 엄마.
"음 맛있다." "많이 먹어요. 결혼은 했고?"
"아직이요." "연하 어때요?"
서로 꿍짝 맞추며 이야기 나누는 아라와 정의 모.
외로이 공깃밥 깨작거리는 정의 모습에서.

(경과)
카운터로 다가오는 아라.
문득 카운터 뒤편에 붙어 있는 사진 액자를 발견한다.
집을 배경으로 어린 정과 아버지, 어머니를 찍은 사진이다.
행복하게 웃고 있는 가족들의 모습.

아라	(사진 속 어린 정 보다가) ... 어렸을 땐 어땠어요? 진 검사.
정의 모	(카운터에 앉아 영수증 정리 하다가, 뒤돌아 가족 액자 보는)
	어땠을 거 같애요?
아라	음... 평범하진 않았을 거 같은데.
정의 모	(미소로) 굉장했죠.
	4층 난간에 병아리 살리겠다고
	창문에 매달렸다 떨어지질 않나
	어린애 공 굴러가는 거 주워 주다 차에 치이질 않나.
	처음엔 병원 가야 되는 줄 알았잖아요

	자긴 생각 안 하고 너무 남만 챙겨서.
아라	(옅게 웃는) 진 검사답네요.
정의 모	쌈박질도 무지하게 하고 다녔어요.
	쑥이랑 마늘 없이 나쁜 놈 사람 만들 수 있는 건
	주먹이 최고라면서.
아라	(풉 웃고)
정의 모	선생이든 애들이든 약한 사람 괴롭히는 꼴을 못 봤어요.
	당하면 열 배로 갚아 주고
	열 배가 안 되면 백 배로 갚아 주고.
	(사진 액자 속 정의 부 보는) ...꼭 지 아빠 닮아가지고.
아라	정이 아버님께서는...
정의 모	(아픈 미소) 사고. 정이 9살 때.
아라	아... 죄송합니다.
정의 모	오래전 일인데 뭐. 신경 쓰지 마요.
아라	(지갑 꺼내는) 오늘 너무 잘 먹었습니다.
정의 모	아니야 아니야 이러지 마.
	이럼 내가 서운하지 우리 사이에.
	집이 어디예요? (가게 둘러보며) 아들! 정아!
정	(주방에서 몸 내미는, 볼멘) 불판 닦고 있다 먹지도 못한 거!
정의 모	나중에 닦고 이리 와. 신 검사님 데려다 드려.
정	택시 어플 있잖아. 요 앞으로 부르면 되는걸...
	(하며 엄마 보면)
정의 모	(이 악물고 정 째려보고 있고)
정	(얌전히 고무장갑 벗는)

S#15   **거리 (밤)**

함께 걸음 옮기는 정과 아라.

아라   ...아버진 어떤 분이셨어?
정   (미소로) 좋은 분이셨어요.
              제가 꼭 닮고 싶었던, 아주 아주 멋지고 강한 사람.

S#16   **회상, 정의 모 집 마당 (낮)**

어린 정에게 목검을 쥐여 주는 정의 부.
뒤에서 정을 감싸 안으며 검도 자세를 가르친다.
어린 정 스스로 자세 취하고 목검 휘두르면,
기특하다는 듯 정의 머리 쓰다듬는 아버지.
그런 아버지 보며 해맑게 웃음 짓는 어린 정.
따뜻하고 훈훈한 두 사람의 모습.

S#17   **거리 (밤)**

아라   아버님 사고 말야, 물어봐도 돼?
정   교통사고였어요. ...바로 제 눈앞에서.
아라   (정 보는)
정   지금도 가끔 생각나요.
              만약 그때 내가 아버지를 10초, 아니 5초만 붙잡았다면...
              엄마 울지 않아도 됐을 건데.

아라   (안쓰럽게 정 보는)

◀   **플래시백**

       6화 19씬
       무언가를 잡으려 하는 듯,
       잡고 싶어 하는 듯 보이는 정의 손.

정   아버지 장례식 치르고 결심했어요.
       다시는 울지 말아야지.
       다시는 내 가족 내 사람들... 울리지 말아야지.
아라   열심히 살아야겠네. 아버님 몫까지 다 하려면.

       택시가 두 사람 앞에 멈춰 선다.

아라   오늘 잘 먹었어.
정   조심히 들어가요.
아라   (차 안으로 들어가려다 멈칫) 정아. 아버지 좋아하실 거야.
       지금 니 모습.
정   (아라 보다가, 미소로) 들어가서 연락해요.

       택시에 오르는 아라.
       떠나가는 택시 미소로 바라보는 정.

S#18   **택시 안 (밤)**

뒷좌석에 앉아 있는 아라.
핸드폰 문자 알림 진동이 울린다.
아라 핸드폰 꺼내 보면,
정이 찍어 보낸, 택시 차량 번호를 찍은 사진.
기분 좋은 미소 짓는 아라.

S#19   **정의 집 거실 [밤]**

탁자 위 노트를 보며 생각에 잠겨 있는 정.
'살해 동기. 차장님을 죽인 이유.'

◀   **플래시백**
            5화 47씬
정   그럼 범인은... 차장님한테 뭔가를 알아내려 했다?
박재경   (고개 끄덕이는)

            노트, '뭔가를 찾고 있다.' '뭐를?'
            심각한 얼굴로 노트 바라보는 정.

S#20   **민원봉사 사무실 [낮]**

자리에 앉아 MP3를 보고 있는 박재경.
심각한 표정.
책상 한쪽엔 노란색 서류 봉투가 놓여 있고.

S#21   회상, 포장마차 (밤)

6화 39씬 연결
마주 앉아 소주를 마시고 있는 박재경과 이장원.

이장원	(노란색 서류 봉투 건네주는)
박재경	뭡니까? (서류 봉투 안 보면, MP3가 들어 있다, 잠시 바라보다가)
	...오래전에 없어진 줄 알았는데...
	이걸 차장님이 어떻게?
이장원	(쓸쓸히 웃으며 자기 잔에 소주 따르는)
박재경	얘기가 잘 안됐나 봅니다? 서현규 대표랑.
이장원	(소주 마시곤) 패만 깐 꼴이 돼 버렸어.
	이 물건이 나한테 있다는.
	옛날에 자네가 한 말이 맞았어. 괴물은 죽여야 한다,
	(MP3 보며) 목줄을 채워 통제할 게 아니라.
박재경	이제라도 아서 다행이네. 저한텐 왜 주는 겁니까?
이장원	(후련한) 나야 이제 끈 떨어진 연이잖아.
	자네 밑에 놈 하나 때문에.
박재경	(피식 웃으며 소주 마시는데)
이장원	내일 사표 쓸 거야.
	(MP3 가리키는) 자네가 한번 풀어 봐.
박재경	(멈칫, 이장원 보다가, 픽 냉소하는) 이제 와서
	좋은 검사인 척하지 마세요 역겨우니까.
이장원	(보는)
박재경	김태호랑 짝짜꿍해서 민원봉사실 만들고,

	거기에 나 밀어넣고 말라 죽으라 한 게 당신이야.
	근데 이제 와서 나보고 풀어 보라 마라... (하는데)
이장원	안 죽었잖아. 그럼 된 거 아닌가?
박재경	(이장원 노려보는데)
이장원	칼 갈았잖아. 서현규한테 니 가족 복수하겠다고.
	그럼 오히려 고마워해야지 이 사람아.
박재경	(아무 말 못 하고, 그저 이장원 노려보는데)
이장원	...진 검사 말야. 아무리 생각해도 보면 볼수록... (하는데)
박재경	알고 있습니다. (쓸쓸한) 그 친구랑 많이 닮았어요.
이장원	(살짝 놀라 보다가, 고개 끄덕이곤)
	진 검사한텐 말해 줄 생각이야.
	그 친구도 진실은 알아야지. (MP3 보는)
박재경	혹시 어디 아프세요? 왜 착한 척이야 적응 안 되게.
이장원	(회한 어린 미소) 글쎄... 취해서 그런가?
	(자기 잔에 소주 따르려는데)
박재경	(병 빼앗아 자기가 따라 주며) 사람 갑자기 변하면 죽는대요.
	살던 대로 삽시다 살던 대로.
이장원	(박재경 잔에 술 따라 주며)
	어쨌든 칼자루는 자네한테 넘어갔어.

S#22   **민원봉사 사무실 (낮)**

MP3를 바라보는 박재경. 그 위로

이장원(소리)   잘 한번 휘둘러 봐.

박재경   (바라보다가, 피식) … 잘 쓰겠습니다.

MP3를 노란색 서류 봉투 안에 넣는 박재경.
진지하고 심각한 얼굴로 잠시 있다가,

박재경   근데 니들은… 왜 여기 있는 거냐?

박재경 고개 들면, 이제야 보이는 사무실 안,
컵라면 먹다가 멈칫하고 있는 철기와 중도.
한쪽에선 은지가 코코랑 눈싸움하고 있고…

철기   (황급히 입 닦으며)
          진 검사님이 앞으로 여기 사무실로 쓰자고…
박재경   (기가 찬) 진 검사 어딨어.

          (경과)
          자리에 앉아 있는 박재경. 그 앞엔 정이 서 있고.

박재경   동네 반상회 열었냐?
          검찰이랑 아무 상관 없는 것들을 왜 맘대로 들여?
          당장 데리고 나가.
정   아니 왜 애들 기를 죽이고 그러세요
          다 이렇게 수사에 도움 되는 애들인데.
          위엔 대충 말 지어내면 되잖아 외부 고문 그런 걸로.
          좋게 좋게 합의합시다 예?

박재경	합의는 지랄, 아 대체 뭐 하는 놈들인데?!

(경과)

벽면 스크린 앞에 서 있는 철기.

앞줄 의자에 앉아 있는 박재경과 정, 아라.

그들 뒤편 의자엔 중도와 은지가 앉아 있고.

아라	(정에게) 나는 왜 부른 거야?
정	같이 들으라고.
중도	(은지와 함께 팝콘 먹고 있고)
박재경	극장 왔냐? (철기에게) 시작해.
철기	(크흠 헛기침하곤) 시작하겠습니다.

철기 리모컨 누르면,

벽면 스크린에 뜨는 은지의 사진와 이력.

철기	이름 백은지 스물여덟,
	전국구 조직 백곰파 회장 백곰의 외동딸입니다.
아라	…!!
중도	!! 진짜?
박재경	(기가 찬) 시작부터 버라이어티하다.

S#23   나이트클럽 (밤)

랩터 가위를 든 채 건달들과 싸움을 벌이고 있는 은지.

날랜 움직임으로 건달들을 하나하나 제압해 나간다.
그 위로

철기(소리)   조직의 2인자 겸 행동대장으로 이름을 날리다
               돌연 은퇴를 선언,

S#24   **민원봉사 사무실 (낮)**

철기   지금은 완전히 손을 씻었지만 여전히 암흑가에선
               그녀의 별명이 전설처럼 내려오고 있다 합니다.
               (엄숙한) 랩터 가위를 들고 싸운다 해서 붙은 그 이름,
               봉천동 벨로시랩터.
중도   (세상에... 먹고 있던 팝콘 툭 떨어뜨리고)
박재경   (어이없고) 벨로시랩터. 영화 공룡 개.
아라   (정에게) 아빠는 곰인데 딸은 왜 공룡이야?
정   더 웃긴 건 뭔지 알아요?
철기   (리모컨 누르면, 민구의 사진이 뜬다)

               참고로 넘버 쓰린 쌍문동 티라노.
               머린 큰데 팔다린 짧아 붙은 이름이고
               넘버 포는 천호동 트리케라... (하는데)
박재경   됐고! 다음!
철기   (리모컨 누르면, 중도의 사진과 이력이 뜨고) 이름 고중도.
               (숙연한) 나이 스물여덟입니다.
박재경   (놀라 자리에서 벌떡 일어나는) !!
은지   (세상에... 먹고 있던 팝콘 툭 떨어뜨리고)

아라	(경악) 스물여덟이요?!
중도	아니 면전에다 그렇게들 놀라시면 내가 뭐가 되는...
박재경	(심각한) 왜? 왜 스물여덟인데?
철기	(진지한) 파악 중입니다.
	빠른 시일 내에 원인 규명 마치겠습니다.
중도	뭘 또 그렇게 진지하게...
	(정에게) 형, 형이 뭐라 말 좀 해 봐.
아라	(소스라치는) 형이라 하지 마!
중도	예? 왜, 왜요 누나?
아라	!!
철기	세월은 정통으로 맞았지만 보기완 다르게 인텔리입니다.

S#25   해킹 방어대회장 (낮)

노트북 키보드 두드리며 집중하고 있는 중도의 모습.
그 위로

철기(소리)	코드게이트 해킹 방어대회 5년 연속 우승,
	가장 최근엔 국정원 해킹 사건을 일으킨 주범...
	(하는데)
박재경(소리)	(놀란) 국정원을?
철기(소리)	주범의 사촌입니다.

중도의 옆에 앉아 있던 남자.
벌떡 일어나 환호하고. 짜증스레 노트북 덮는 중도.

S#26	**민원봉사 사무실 (낮)**

박재경 그럼 그렇다고 진작 얘길 하지, 괜히 놀랐잖아 인마!

철기 이야기의 반전을 위해... 죄송합니다.

은지 고중도는 몇 등이었는데?

철기 대회 총 참가인원 82명. 41등입니다.

은지 애매하네.

아라 못하는 거야 잘하는 거야?

중도 중간 중간.

박재경 (정에게) 쟨 왜 데리고 다니는 거냐?

정 (생각하다가) ...고기 방패?

철기 이상 발표 마치겠습니다.

철기 리모컨 누르면,
촌스러운 클로징 음악과 함께
'끝까지 봐 주셔서 감사합니다^^' 자막이 뜨고...

박재경 그래서 이것들 정체가 뭔데?

정 (미소로) 친구들이요.

S#27	**로펌 강산 전경 (낮)**

S#28	**지한의 사무실 (낮)**

책상 의자에 앉아 있는 지한.

앞쪽 소파엔 도환이 앉아 있고.

지한   (자기 업무 보며) 솔직히 의외네요.
       이렇게 연락이 빨리 오실 줄은 몰랐는데.
       (도환 보는) 검찰에서 입지가 많이 안 좋으신가 봐?
도환   저는 서현규 대표님을 뵈러 왔습니다.
지한   (픽 냉소하는) 명함 하나 받았다고
       그건 좀... 아닌 거 같은데.
       저한테 말씀하시죠.
       제가 이래 봬도 아버지 문고리 담당이라.
도환   서 대표님한테 직접 말씀 드리겠습니다.
       (자리에서 일어서는데)
지한   (피식) 존심은 남았다?
도환   (멈칫, 지한 보는)
지한   이거 면접이에요 오 검사님.
       그렇게 뻗대다 내가 검사님 이력서 빗금 치면 어쩌려 그래.
도환   (표정)
지한   저희 아버지가 어떤 분인진
       이미 다 스캔 끝낸 거 같고...
       그래서 오신 거잖아.
       아버지한테 힘 한번 써 달라고.
       아니에요?
도환   (아무 말 못 하고)
지한   (재밌다는 듯 웃으며) 머리 박고 죄송하다 해 봐요.
도환   ...!!

지한　　　내 버킷리스트 중 하나가
　　　　　검사 머리 박게 하는 거였거든.
　　　　　뭐 해요 해 보라니까? 당신 명줄 내가 갖고 있어.

　　　　　굴욕감에 이를 악무는 도환.
　　　　　지한은 그런 도환 웃음기 머금은 채 바라보고.
　　　　　결국 도환, 자리에서 일어선다.
　　　　　지한을 향해 서다가 표정 멈칫,
　　　　　물끄러미 그가 들고 있는 뭔가를 바라본다.
　　　　　특이한 모양의 피젯 스피너다.
　　　　　분명 어디서 본 기억이 난다.
　　　　　날카로워지는 도환의 표정.

S#29　　　**구치소 복도 (낮)**

　　　　　교도관과 함께 걸음 옮기는 김태호.

S#30　　　**구치소 특별 면회실 (낮)**

　　　　　안으로 들어오는 김태호.
　　　　　멈칫 보면, 면회실 소파, 박재경이 앉아 있다.

김태호　　　(맞은편 소파에 앉는) 자주 본다?
박재경　　　할 말이 있어서.
김태호　　　(보는)

박재경	이장원 차장 만났었어. 그 양반 죽기 하루 전에.
	서현규가 찾고 있는 물건 나한테 있다.
김태호	...!!
박재경	(단호히 김태호 보는)
김태호	왜 이걸 나한테 말하는 거지?
박재경	내가 연락하긴 좀 그렇잖냐. 니가 대신 말 좀 해 주라.
김태호	니가 무슨 말 하고 있는진 알고 있는 거고?
박재경	(끄덕이는)
김태호	그래서 그걸 갖고 다시 서현규랑 붙어 보시겠다?
	옛날에 그 꼴을 당해 놓고도?
박재경	이젠 잃을 게 없어가지고.
김태호	야 재경아... 니가 죽을 수도 있어.
박재경	이미 한번 죽었다. 애 엄마랑 아이 먼저 보냈을 때.
김태호	(보는, 표정)
박재경	(일어서는) 할 말 끝났으니까 갈게.
	영치금은 내가... 재판 잘 받고.
	(밖으로 걸음 옮기다가 멈칫) 그리고 태호야,
	옆에 있던 니가 제일 잘 알겠지만...
	서현규 너무 믿지 마라.
김태호	...!!
박재경	(밖으로 나가는)

S#31   **서현규 대표실 (낮)**

박스에서 붕어즙을 꺼내는 현규.
빨대 꽂아 마시려 하는데,
갑자기 울리는 책상 위 인터컴 소리.

현규   (버튼 누르면)
태 실장(소리) 구치소 김태호 지검장에게 연락 왔습니다.
현규   (인터컴 보는)

S#32   **구치소 특별 면회실 (낮)**

핸드폰 통화 중인 김태호.

태 실장(소리) 대표님께선 회의 중이십니다.

핸드폰 내리는 김태호.
서 있던 교도관에게 핸드폰 건네준다.
일말의 불안함. 앉아 있는 김태호의 표정에서.

S#33   **검찰청 지하 주차장 (낮)**

주차장 자리에 멈춰 서는 도환의 차.
운전석에 앉은 채 생각에 잠기는 도환.

◀   **플래시백**
           8화 28씬

피젯 스피너를 돌리는 지한의 모습.

도환   어디서 봤더라...

작게 한숨 내쉬며 시트에 몸을 묻는 도환.
문득 맞은편 주차되어 있는 차를 보면,
맞은편 차, 블랙박스가 점멸하고 있다.
가만히 블랙박스 바라보는 도환.
어느 순간 표정 멈칫, 생각났다.
급히 밖으로 뛰어나가는 도환.

S#34   **검찰청 복도 (낮)**

사람들과 부딪히는 것도 아랑곳하지 않고 뛰어가는 도환.

S#35   **도환의 사무실 (낮)**

급히 안으로 뛰어 들어오는 도환.
창가로 다가가 화분 밑을 들춘다.
화분 밑, 블랙박스 메모리 카드가 놓여 있다.
바라보는 도환의 표정.

+   인서트
도환의 사무실.
도환에게 블랙박스 메모리 카드를 건네주는 유진철.

메모리 카드를 노트북에 넣는 도환.

마우스 클릭.

유진철의 블랙박스 영상이 나오기 시작한다.

초조하고 간절한 얼굴로 영상 바라보는 도환의 모습에서.

S#36   **민원봉사 사무실 (낮)**

화이트보드에 태 실장의 사진을 붙이는 중도.

그 앞엔 정과 아라, 철기와 은지가 앉아 있고.

중도   (간간히 서류 읽으며 브리핑하는) 태형욱 32세.

로펌 강산 서현규 대표의 비서실장.

대표가 어딜 가든 함께 하는 수족으로

이전엔 육군 특전 특수임무단에서 복무.

대테러와 응징 및 보복,

적 후방 교란과 단기 타격 작전 등을 7년간 수행한…

(서류 내리는) 아저씨도 아니고 애 뭐니…

정   알아보란 건?

중도   지금까지 행적은 평범해.

사건 당일 알리바이도 확실하고.

아라   (뭐? 표정)

철기   피트니스 센터 CCTV 영상입니다.

정에게 노트북 건네주는 철기.

정 화면 보면, 피트니스 센터 CCTV 영상,

러닝 머신을 뛰고 있는 태 실장의 모습.
영상 하단 타임라인, 23시 정각이다.

철기   (무거운) 23시 정각 CCTV입니다.
            차장님 사망 당시 태 실장은 센터에 있었습니다.

작게 한숨 내쉬며 CCTV 바라보는 정.
낭패감 어린 표정.

은지   (중도에게 작게) 진검이 틀린 거야?
중도   (쉿 사인 보내고)

지긋이 CCTV 영상 바라보는 아라.
어느 순간 표정 멈칫, 고개 갸웃하고.

정   ...쉬울 거라 생각은 안 했어.
            일단 태형욱은 지켜보되 다른 가능성도 염두해 두고...
            (하는데)
아라   (CCTV 영상 보며, 정의 어깨에 손 올리는) 잠깐만 진 검사.
정   (아라 보면)
아라   (화면 가리키며) 여기. 러닝 머신 우측 두 번째 아크릴판.

일제히 영상 속 아라가 가리킨 곳 바라보는
정과 철기, 중도와 은지.

+	인서트

피트니스 센터 CCTV 영상.

러닝 머신을 뛰고 있는 태 실장.

방역을 위한 투명 아크릴판 가림막이 각각의

러닝머신 사이드에 배치되어 있다.

태 실장의 우측 두 번째 아크릴판, 조명에 반사되어

거울처럼 비치고 있는 벽시계 (숫자 표시가 없는),

열한 시를 가리키고 있다.

정	열한 시잖아요. 근데 이게 왜... (하다가 멈칫) !!
아라	태형욱이 정말 열한 시에 운동을 했다면
	여기 비친 이 시겐 열한 시면 안 돼.
	우린 시계를 직접 보고 있는 게 아니라
	조명에 비쳐 반사되고 있는 걸 보고 있는 거니까.
철기	그럼 실제 태형욱이 운동을 한 시간은...
정	(말 받듯) 새벽 한 시.
아라	차장님 사망 두 시간 이후.
	현장 벗어나긴 충분한 시간이야.
중도	그럼 여기 타임라인은 어떻게 된 거야?
	녹화된 건 열한 신데 (하다가 바로) 조작이구나.
정	(CCTV 영상 속 태 실장 노려보는데)
아라	(잠시 생각하다가) 진 검사,
	혹시 너랑 부검의를 죽이려 한 놈도...
정	멸균 장갑.
	(고갯짓으로 태 실장 가리키는) 같은 놈일 겁니다.

◀ 플래시백

4화 16씬

CCTV 속 누군가의 뒷모습을 바라보는 정.

6화 4씬

뒤돌아 걸음 옮기는 태 실장.

힘겹게 숨 내쉬며 태 실장 노려보는 정.

철기	뒷모습만 보고 동일인이라 의심하는 건 너무 섣부르지 않을까요?
정	차장님한테 사용한 주사기를 우리 집에 갖다 놓았어.

◀ 플래시백

4화 64씬

엘리베이터를 타는 정, 걸음 옮기는 태 실장 뒷모습 보면,

뒷주머니 사이로 삐져나온 멸균 장갑이 보이고.

정	폐공장에서 날 찌른 놈도 그 장갑을 끼고 있었고.

◀ 플래시백

5화 71씬

푹 정의 배를 칼로 찌르는 태 실장.

힘겹게 태 실장 붙잡으며 버티는 정.

문득 태 실장이 끼고 있는 멸균 장갑을 발견하고.

중도	그래도 아직까진 진형 감인 거 같은데... 증거가 없잖아.
정	(일리 있는 말이다, 작게 한숨 내쉬는데)
아라	지금부터 찾아보죠. 이거부터.

주머니에서 메모지를 꺼내는 아라.
정과 사람들 보면, 차량 번호가 적혀 있다.
'132 규 6503'

◀ **플래시백**

7화 68씬
태 실장의 차 번호판을 유심히 보는 아라.

아라	차량 조회 해 보니까 대포였어.
	그래도 동선 추적은 가능하지 않을까?
정	(멍하니 아라 보다가, 대뜸) ...나 선배 좋아해도 돼?
중도, 은지	!!
아라	봐서. (일어서서 박수 짝!) 자! 움직입시다!

S#37 **피트니스 센터 복도 [낮]**
심기 불편한 얼굴로 걸음 옮기는 은지와 중도.
그 뒤를 따라 걷는 민구와 부하 2명.

은지	(민구와 부하들에게) 니들은 여기 있어.
민구	근데 둘이 뭔 일 있습니까?
	쌍으로 면이 안 좋은 게 부부 싸움이라도 한 거처럼...

(하는데)

중도, 은지	(휙 민구 노려보고)
민구	갔다 오십쇼.
부하들	갔다 오십쇼!!

S#38   피트니스 센터 (낮)

벤치프레스를 하고 있는 피트니스 센터 사장(40대 남).
역기를 들어 올릴 때마다 커다란 근육이 꿈틀댄다.
잠시 후 사장 옆에 다가와 서는 중도와 은지.

중도	(사장의 근육 보곤, 조심스레) 여기 사장님 맞죠. 얘기 좀 합시다.
사장	(운동하며) 운동 중에 방해하는 건 매너가 아닌데.
중도	(은지에게) 매너가 아니라는데?
은지	(짜증스레 중도 노려보면)
중도	알았어 알았어. (사장에게) 그만하고 일어나 봐요.
사장	(역기 내려놓고 몸 일으키는, 고까운) 뭡니까?
중도	(핸드폰으로 태 실장 CCTV 영상 보여 주는, 애써 안 쫄은 척)
	이 사람 알지, 알죠.
사장	(영상 보다가) 그런데요?
중도	여기 CCTV 영상 사장님이 관리하는 거고?
사장	예. 근데 듣자니까 당신이 뭔데 남의 고객 정보를...

하는 그때,
팍! 사장의 가랑이 사이에 랩터 가위를 꽂는 은지.

서늘히 사장 노려보고.

S#39   **교통관제 센터 (낮)**

여러 개의 도로 CCTV가 떠 있는 대형 모니터.
직원과 함께 CCTV 영상을 보고 있는 철기.

정(소리)   차량 번호로 동선 추적해 봐.
            마지막으로 그놈 봤던 데부터 관내 CCTV 톨게이트 전부.
철기   (유심히 모니터 속 CCTV 보다가, 멈칫) 잠시만요.
직원   (영상 스톱하고)
철기   (어느 도로 CCTV 영상 가리키며) 확대.
            직원 CCTV 영상을 확대하면,
            선명히 모습을 드러내는 태 실장의 차.
            차량번호, **'132 규 6503'**
            들고 있던 메모지를 보는 철기.
            같은 차량 번호가 적혀 있다.
            찾았다.
            영상 속 태 실장의 차 바라보는 철기의 표정에서.

S#40   **거리 (낮)**

신호등 위 도로 교통 카메라를 바라보고 있는 정과 아라.

정   카메라에 잡힌 건 여기가 마지막이에요.

아라	대로에서 차가 갑자기 사라졌을 린 없고...
	어디로 간 걸까.
정	근방에 차를 따로 숨겨 놨거나,
	(어딘가를 보고 멈칫) ...완전히 없애려 했거나.
아라	(정 시선 따라가 보면, 폐차장 간판이 보이고)

S#41 **폐차장 (낮)**

주위 두리번거리며 걸음 옮기는 정과 아라.
아라 한쪽에 놓인 태 실장의 차 발견하곤,

| 아라 | 저기 있다. |

태 실장의 차 차창을 통해 안을 살펴보는 정.
선팅 때문에 재대로 보이지 않는다.

정	뭐가 보이지를 않아. (차 문 열려 하는데, 잠겨 있다)
	선배 여기 사장한테... (하며 아라 보면)
아라	비켜.

벽돌을 던져 차창을 깨부수는 아라.

| 정 | (세상에...) !! |
| 아라 | 걔들은 이렇게 하더라고. |

차창 안으로 손 넣어 잠긴 문 여는 아라.
그런 아라 벙쪄서 바라보는 정.

S#42   **공사장 공터 (낮)**

깊게 판 구덩이 안에서 입과 손발 묶인 채
버둥거리고 있는 사장.
부하들은 삽으로 흙을 퍼 구덩이를 메꾸고 있다.
그들과 조금 떨어진 곳엔 은지와 중도, 민구가 서 있고.

중도   (바싹 쫄아서) 이렇게까지 할 필욘 없는 거 같은데...
민구   명색이 싸나이가 소심하기는,
          내일부터 인부들 세멘으로 공구리 들어간답디다.
          위에 싹 덮이면 아무도 모르니까 걱정하지 마쇼.
중도   내 말은 그게 아니라... (하다가, 포기한) 됐다.
민구   누님, 진짜 큰형님이랑 연 끊으실 겁니까?
          그래도 두 사람 물도 아니고 피로 엮어진 사이 아니요.
은지   안 가.
민구   진 검사 걔는 마음에 묻고 돌아갑시다.
          막말로 한평생 칼밥 먹던 양반이
          검사랑 어울린다는 게...
          (하는데)
은지   (서늘히 민구 노려보는)
민구   예뻐 둘이. 잘 어울려. (부하들에게) 뭐 좀 나왔냐?
부하1   독종입니다. 입을 안 여는데요?

구덩이로 다가가는 중도와 은지, 민구.

세 사람 구덩이 안 보면,

말하고 싶지만 입이 막혀 몸만 버둥거리고 있는 사장.

사장의 입에 재갈을 본 은지.

짜증스레 민구 뒤통수 빡 갈기곤 사장에게 다가간다.

입에 물린 재갈 벗겨 주면,

사장   말할게요! 다 말할게요!

은지   (핸드폰 전화 거는)

S#43   **폐차장 (낮)**

은지(소리)   자백 받았어. 열한 시에 태형욱 없었대.

정   (핸드폰 통화하는) 오케이 수고했어.

         원본 영상 확보하고 이따 보자.

         차 안을 뒤지기 시작하는 정과 아라.

         두 사람 조수석 글로브 박스와 콘솔 박스(운전석 우측 박스),

         문에 붙어 있는 수납함과 트렁크 등

         곳곳을 뒤지지만 텅텅 비어 있을 뿐

         단서 될 만한 건 전혀 보이지 않고.

아라   특별한 건 없는데... (정 보는)

         난감한 얼굴로 작게 한숨 내쉬는 정.

그때 문득 눈에 띄는 무언가, 조수석 시트 밑,
전투화가 놓여 있다.
전투화를 들어 이리저리 살펴보는 정.
밑창 부분을 보다가 멈칫 표정 얼어붙는다.
전투화 밑창 홈 사이, 작은 혈흔이 남아 있다.
자신의 핸드폰 사진첩을 여는 정.
전투화 발자국 사진(6화 27씬)을 꺼낸다.

◀   **플래시백**

5화 71씬 연결
정에게 다가가
칼로 찌른 부위를 발로 지긋이 누르는 태 실장.
상처 부위에서 피가 새어 나오며 전투화 밑창을 적신다.

사진과 전투화 밑창을 비교하는 정. 똑같다.
밑창 홈 사이 작은 혈흔 바라보는 정의 표정에서.

S#44   **의과대학 전경 (밤)**

장 교수(소리) 뭐?

S#45   **해부학과 장 교수 연구실 (밤)**

황당한 얼굴로 앉아 있는 장 교수.
그 앞엔 정이 서 있고.

정	(면봉 들어 있는 작은 비닐 팩 책상에 놓는)
	용의자 신발에서 채취한 혈흔이에요.
	(혈액 들어 있는 샘플 병 놓고) 이건 제 피.
	이 두 개 분석 좀 해 주세요. 같은 편지.
장 교수	...저기 진 검사, 여기 해부학과야.
정	이런 거 할 수 있는 친구들 있잖아요.
	부탁 좀 할게요.
장 교수	(후우우 심호흡하곤, 상냥한)
	우리나라엔 국과수란 게 있어 진 검사.
	넌 몰랐겠지만 거기다 맡기면 굉장히 쉽고 빠르단다.
	여기서 지랄하지 말고 거기 가는 건 어때?
정	(얼버무리는) 그쪽은 영장 치고 절차 밟고
	뭐 그런 공무원의 그게 있으니까.
	(애교) 이번이 마지막, 진짜 진짜 진짜 마지막.
장 교수	(수상하게 정 보는) 너 솔직히 말해 봐.
	이거 다 불법 취득이라 국과수에 못 맡기는 거지.
정	(정색) 아뇨 그럴 리가.
	내가? 전혀. 무슨 말씀을.
	(슬슬 밖으로 걸음 옮기며) 어쨌든 교수님 해 주는 걸로.
	기다릴게요.
장 교수	진정 거기 스톱.
정	애정합니다 교수님. (손가락 하트 날리는) 사랑해요!

도망치듯 사무실 밖으로 빠져나가는 정.
그런 정을 기가 차 바라보는 장 교수.

S#46   서현규 대표실 (밤)

자리에 앉아 업무를 보고 있는 현규.
잠시 후 똑똑 노크 소리.

현규   예.
태 실장   (들어와 현규에게 서류 봉투 건네주는)
          방금 퀵으로 온 겁니다.

현규 서류 봉투 보면,
발신자 칸에 적혀 있는 지검 사무실 주소와 이름,
오도환.

현규   (잠시 서류 봉투 보다가) 고마워 나가 봐.
태 실장   (꾸벅 인사 후 나가는)

서류 봉투를 뜯는 현규.
봉투 안, 사진 한 장이 들어 있다.
(도환이 블랙박스 영상 속 지한을 찍은 사진)

현규   (잠시 사진 바라보다가, 피식 미소 짓는) 요즘 애들은 참...
          겁이 많이 없네.

S#47   해부학과 장 교수 연구실 (밤)

서류 바라보며 핸드폰 통화 중인 장 교수.

장 교수   결과 나왔다. RH+B형 동일 혈액형이야.

S#48   **민원봉사 사무실 (밤)**

스피커폰으로 핸드폰 통화 중인 정.
가운데 테이블엔
철기와 아라, 중도, 은지가 앉아 있고.

정   신발에서 나온 혈액이랑 제 혈액이랑 같다는 거죠?

장 교수(소리) 99.9 프로.

정   고마워요 교수님. (핸드폰 끊으면)

아라   이제 확실해졌네.

정   철기야, 내 목검 어딨냐.

철기   어제 실장님이 이불 털 때 쓰신다고...

정   (아오 진짜...!)

실장 자리 이리저리 뒤지며 자신의 목검을 찾는 정.
책상 밑바닥에 굴러다니는 목검을 집는다.
몸을 일으키다가 멈칫,
책상 중앙 서랍 밑, 노란색 서류 봉투가 테이프로
붙여져 있는 걸 발견한다.
바라보는 정의 표정.
그 위로

이나영(소리) 노란색 서류 봉투였어요.

서류 봉투를 들고 일어서는 정.
봉투를 열어본다.
그 안, MP3가 들어 있다.
표정 얼어붙는 정.

◀ **플래시백**
4화 23씬
정에게 자신의 핸드폰을 보여 주는 친구.
정 보면, 핸드폰 속 사진, 구형 MP3 기기다.

이걸 왜 실장님이?
의문 가득한 얼굴로 MP3 바라보는 정.
그때 안으로 들어오는 누군가, 박재경이다.

박재경   (정 보곤 멈칫) ...!!
정   설명이 좀 필요할 거 같은데.

S#49   **민원봉사 사무실 밖 일각 (밤)**

서 있는 정과 박재경.

정   (낮고 서늘한) 말씀해 보세요.
           왜 저걸 실장님이 갖고 계신 건지.

박재경	잊어. 별거 아냐.
정	뭐라고요?
박재경	다시 말해 줘? 잊으라고 별거 아니니까.
정	지금 그걸 말이라고 하십니까?
박재경	(정 보는)
정	차장님 죽인 놈이 찾았던 거죠.
박재경	(작게 한숨 내쉬곤) 진 검사.
정	뭡니까 저거?
	저게 대체 뭐라고 사람을 죽이면서까지 찾는 거냐고요.
박재경	(보는)
정	대답해요 진짜 열 받으려 그러니까.
박재경	(보다가, 결국) 저번에 내 가족들 어디 있냐 물어봤었지.
	전부 죽었다.
정	!!
박재경	사고로 위장된 사건. 내가 할 수 있는 건 아무것도 없었어.
정	지금까지 사건들과... 관계있는 놈입니까?
박재경	(보다가, 고개 끄덕이는)
정	그럼 결국 실장님은...
	지금까지 모든 걸 알고 있었으면서도...
	저한테 얘길 안 했던 거네요.
박재경	이건 정이 니가 나설 일이 아니야.
	나 혼자 해야 되는 일이고... (하는데)
정	제 이름 부르지 마세요.
박재경	...!!
정	(박재경 노려보다가, 걸음 옮기는데)

박재경	너 죽을 뻔했어 새꺄!!
정	(멈칫, 박재경 보는)
박재경	(다가가 와락 정 멱살 잡는) 사람이 말하면 들어.
	여기 너 같은 놈이 너 혼자만 있었던 줄 알아?!
정	(보는)
박재경	(멱살 풀고, 진정한) 절대 니가 함부로
	상대할 수 있는 놈이 아니야.
	마음만 먹으면 얼마든지 널 다시 죽일 수 있고
	너희 어머니 저 안에 친구들 신 검사까지 전부,
	흔적도 없이 사라지게 만들 수 있어.
	우리 가족한테 그런 거처럼.
정	(바라보고)
박재경	진심으로 너 위해 하는 소리야 진 검사. 사무실로 돌아가.
정	싫습니다.
박재경	!!
정	처음부터 몰랐으면 모를까 알고도 모른 척한다는 건...
	그건 제 스타일 아니라서요.

성큼성큼 걸음 옮기는 정.
그런 정을 바라보며 작게 한숨 내쉬는 박재경.

S#50   **민원봉사 사무실 (밤)**

자신의 자리에 앉는 박재경.
무거운 얼굴로 책상 위 노란색 서류 봉투를 바라본다.

그러다 뭔가 이상한 느낌에 봉투 거꾸로 털어보면,
MP3가 없다?
걱정스레 사무실 문을 바라보는 박재경.

S#51   **정의 차 안 (밤)**

도로를 달리고 있는 정의 차.
서늘한 얼굴로 운전 중인 정.
조수석엔 MP3가 놓여 있고.
어딘가에 핸드폰 전화를 거는 정.

S#52   **국밥집 앞, 정의 차 안 교차 (밤)**

문 앞을 지키듯 서 있는 태 실장. 핸드폰 진동이 울린다.
태 실장 보면, 모르는 번호다.

태 실장   (잠시 보다가, 전화 받는) 태형욱입니다.
정   내가 나쁜 놈들 중 특히 용서 못 하는 놈들이 있어.
          너 같이 사람 죽이는 새끼들.
태 실장   ...무슨 말씀이신지?
정   니가 찾는 물건 나한테 있어.

진동 울리는 태 실장의 핸드폰.
태 실장 보면, 사진이 도착해 있다.
조수석에 놓여 있는 MP3를 찍은 사진이다.

태 실장	…!!
정	어떡할래. 아직 아무한테도 말 안 했는데.
태 실장	(표정 서늘해지고)
정	오래 안 기다린다.

핸드폰 내리는 정. 꾸욱 엑셀을 밟는다.
빠른 속도로 달려 나가는 정의 차.

S#53   **국밥집 (밤)**

손님이라곤 아무도 없는 가게 안.
안으로 들어오는 태 실장.
국밥 먹고 있는 현규에게 다가가 귓속말을 한다.
서늘히 변하는 현규의 표정.
그리고 현규의 맞은편,
예의 바른 자세로 앉아 있는 한 사람, 도환이다.

S#54   **이장원 변호사 사무실 (밤)**

4화 3씬 연결
불 꺼진 사무실. 안으로 들어오는 정.
이장원이 살해당했을 때의 상황이 정의 눈앞에서 재현된다.
자신의 목을 부여잡으며 바닥에 쓰러지는 이장원.
극도의 흥분과 떨림, 숨을 헐떡이며
모자에 마스크 쓴 누군가를 노려보는 이장원.

태 실장	물건 어딨어.
이장원	(태 실장 노려보고)
태 실장	어딨어.
이장원	(힘겹게 비웃음 짓는) 늦었어.
태 실장	(??, 이장원 보는)
이장원	내 손 떠난 지 오래야. 나한테 없어.

태 실장 문득 창밖 보면,
차 한 대가 다가오고 있는 게 보인다.
주사기를 품에 넣는 태 실장. 이장원을 일으켜 세운다.
창문을 열곤 이장원을 밖으로 밀어 떨어뜨린다.
잠시 후 들려오는, 이장원이 바닥에 떨어지는 소리. 쿵-!
태 실장 창문 밖 보면,
추락해 절명한 이장원과 서 있는 정의 모습.
모자와 마스크를 벗는 태 실장.
그의 모습이 제대로 드러나는 순간이다.
밖으로 걸음 옮기는 태 실장을 바라보는 정.
상황 재현이 끝났다. 이장원 사건의 진실을 알게 된 정.
창밖 바라보는 표정에서.

S#55   **법조 타워 복도 (밤)**

복도를 걷고 있는 누군가(태 실장).

S#56   **이장원 변호사 사무실 (밤)**

창밖을 바라보며 서 있는 정.

잠시 후 안으로 들어오는 태 실장.

뒤돌아 태 실장을 보는 정.

MP3를 꺼내 보여 주곤 다시 품에 집어넣는다.

칼을 꺼내 드는 태 실장.

근처에 세워 두었던 목검을 집어 드는 정.

일언반구 없이 정에게 달려드는 태 실장.

태 실장의 공격을 맞받으며 시작되는

정과 태 실장의 격투.

어느 순간 정의 목검을 맞고 칼을 놓치는 태 실장.

그런 태 실장을 서늘히 노려보는 정인데,

갑자기 태 실장, 쓱 뒷걸음질 쳐 사무실 밖으로 나간다.

그 뒤를 쫓아가는 정.

S#57   **법조 타워 복도 (밤)**

달려 나와 좌우를 살피는 정.

복도 저쪽 비상구 안으로 들어가는 태 실장을 발견한다.

태 실장을 쫓아 달려가는 정.

S#58   **법조 타워 비상구 계단 (밤)**

비상구 문을 박차고 들어오는 정.

계단을 오르고 있는 태 실장이 보인다.

정 그 뒤를 쫓아 계단 올라가고.

S#59 　　**법조 타워 옥상 (밤)**

옥상 안으로 들어오는 정.
주위 둘러본다. 아무도 안 보인다.
어떻게 된 건가 싶은 그때,
갑자기 나타나 정의 목에 주사기를 꽂아 넣는 태 실장!
휘청하며 바닥에 무릎 꿇는 정.
마취 효과로 시야가 가물가물해지기 시작한다.
목검을 발로 차 멀리 떨어뜨리는 태 실장.
정신 잃어가는 정을 끌고 난간을 향해 다가간다.
난간 밖으로 정을 밀기 시작하는 태 실장.
절체절명 위기에 빠진 정의 모습에서...!!

- 8화 끝 -

episode **9**

● ● ●

모든 시작은 이장원 차장검사가 갖
고 있던 MP3. 그리고 '서초동 살인
사건'이다.
다시 '서초동 살인사건'을 조사하
며 사건의 진실을 알게 되는 정. 곧
바로 박재경을 찾아간 정은 지금껏
그가 숨기고 있던 비밀에 대해 묻기
시작한다.

S#1   이장원 변호사 사무실 (밤)

창밖을 바라보며 서 있는 정.

잠시 후 안으로 들어오는 태 실장.

뒤돌아 태 실장을 보는 정.

MP3를 꺼내 보여 주곤 다시 품에 집어넣는다.

칼을 꺼내 드는 태 실장.

근처에 세워 두었던 목검을 집어 드는 정.

일언반구 없이 정에게 달려드는 태 실장.

태 실장의 공격을 맞받으며 시작되는

정과 태 실장의 격투.

어느 순간 정의 목검을 맞고 칼을 놓치는 태 실장.

그런 태 실장을 서늘히 노려보는 정인데,

갑자기 태 실장,

쓱 뒷걸음질 쳐 사무실 밖으로 나간다.

그 뒤를 쫓아가는 정.

S#2   법조 타워 복도 (밤)

달려 나와 좌우를 살피는 정.
복도 저쪽 비상구 안으로 들어가는 태 실장을 발견한다.
태 실장을 쫓아 달려가는 정.

S#3   법조 타워 비상구 계단 (밤)

비상구 문을 박차고 들어오는 정.
계단을 오르고 있는 태 실장이 보인다.
정 그 뒤를 쫓아 계단 올라가고.

S#4   법조 타워 옥상 (밤)

옥상 안으로 들어오는 정.
주위 둘러본다. 아무도 안 보인다.
어떻게 된 건가 싶은 그때,
갑자기 나타나 정의 목에 주사기를 꽂아 넣는 태 실장!
휘청하며 바닥에 무릎 꿇는 정.
마취 효과로 시야가 가물가물해지기 시작한다.
목검을 발로 차 멀리 떨어뜨리는 태 실장.
정신 잃어가는 정을 끌고 난간을 향해 다가간다.
난간 밖으로 정을 밀기 시작하는 태 실장.
절체절명 위기의 순간,
품에서 펜을 꺼내 자신의 손을 힘껏 찌르는 정!

일순 또렷해지는 정의 눈빛.
힘껏 태 실장의 머리 붙잡아 난간에 찧어 버린다.
쾅!
몇 번이고 계속해 태 실장의 머리를 난간에 찧는 정.
쾅! 쾅!
결국 기절한 채 스르르 바닥에 쓰러지는 태 실장.
다시 나타나는 마취 효과.
비틀 바닥에 주저앉는 정.

정   (핸드폰 꺼내 전화 거는) ...어 철기야.
            (힘겹게 웃음 짓는) 나 좀 데리러 와라.

S#5   **국밥집 (밤)**

국밥을 먹고 있는 현규.
맞은편엔 도환이 예의 바른 자세로 앉아 있다.

현규   (도환이 깨끗하게 비운 그릇 보곤) 잘 먹네.

그때 울리는 핸드폰 진동. 전화 받는 현규.

현규   (받으면)
지한(소리) 아버지, 태 실장이 검거됐답니다.
현규   (핸드폰 내리는, 작게 한숨 내쉬며) 큰일이네...
            운전은 누가 하라고.

도환	(보는)
현규	보내준 건 잘 받았어요.
	(미소로) 근데 난 잘 모르겠더라고 검사님 의도가 뭔지.

블랙박스 메모리 카드를 꺼내는 도환.
테이블 위에 올려놓는다.

도환	서초동 살인사건 목격자한테 얻은
	블랙박스 메모리 카드입니다.
현규	(담담히 도환 보는)
도환	사건의 유력한 용의자, 신원 확인 끝냈습니다.
현규	(보다가, 아쉬운 한숨 내쉬는) 협박은 아니길 바랬는데.
도환	(바라보고)
현규	똑똑한 친군줄 알고 기대했는데 실망입니다 검사님.
	(의자에 걸어놨던 외투 걸치며) 얘기 즐거웠어요.
	이건 그쪽 원하는 대로 하시고...

하는 그때,
쓱 현규에게 블랙박스 메모리 카드 건네는 도환.

현규	(??, 도환 보면)
도환	대표님께 드리겠습니다.
현규	나한테 원하는 건?
도환	대표님 옆에 있고 싶습니다.
현규	(보는)

도환	쓸 만하실 겁니다.
	운전부터 시작하겠습니다. (고개 숙이는)
현규	(도환 바라보다가, 쓱 메모리 카드 밀어 주는)
도환	(무슨 뜻인가 싶은, 현규 보면)
현규	가져가요. 어차피 원본 아니잖아.
도환	...!!
현규	그래도 우리 오 검사, 패기 하난 좋네.
	(자리에서 일어서는) 운전 잘해요?
	(미소로 도환 바라보는 데서)

S#6   중앙 지검 전경 (낮)

S#7   검찰청 취조실 (낮)

수갑을 찬 채 앉아 있는 태 실장.
그 앞엔 정이 앉아 있다.
취조실 모니터 룸에선 아라가 두 사람 바라보며 서 있고.

정	말수가 원래 없는 편인가? 아니면 묵비권으로 버티기?
태 실장	(무표정한 얼굴로 정 보는)
정	마음대로 해 난 상관없어.
	(냉소로) 어차피 니 혐의 입증할 증거야 차고 넘치거든.
	물론 니가 차장님을... 왜 죽였는지도 알고.
	(품에서 MP3 꺼내 테이블 위에 올려놓는)
태 실장	(MP3 바라보는데)

정	넌 차장님한테 있던 이걸 뺏으러 갔어.
	근데 막상 차장님한텐 아무것도 없었고
	니들은 차장님을 투신자살로 위장해 살해했지.
	근데 이걸 어쩌나? 하필 내가 나타나 버렸네.
태 실장	(표정)
아라	(태 실장 바라보고)
정	니들 입장에선 짜증 났을 거야.
	갑자기 웬 검사 하나가 사건을 파헤치기 시작했으니까.
	그래서 니들은 나한테 누명을 씌웠어.
	나중엔 누명으로 안 되니까 날 죽이려고까지 했고.
태 실장	…소설을 잘 쓰시네요.
정	이제야 입을 여시네. 말이 좀 박히나 봐?

S#8 검찰청 복도 (낮)

취조실 향해 걸음 옮기는 누군가(도환).

S#9 검찰청 취조실 (낮)

마주 앉아 있는 정과 태 실장.

정	너 같은 칼잡이가 오더 없이 움직였을 린 없고,
	(떠보듯) 로펌에서 시킨 건가?
태 실장	(멈칫, 정 보는)
정	(능치듯 웃는) 물론 나도 아닐 거라 생각해.

설마 대한민국 최고 로펌에서 (MP3 들어 보이는)
겨우 이거 하나 뺏겠다고 중앙 지검 차장검사를
죽일 린 없을 테니까.

태 실장　　(바라보고)

정　　　　자세한 건 천천히 얘기 나누기로 하고, 시작하자.
　　　　　(노트북 자신의 앞으로 갖고 와) 이름.

그때 똑똑 노크 소리. 안으로 들어오는 철기.

철기　　　(난처한) 검사님, 변호사가 왔습니다.

정　　　　(태 실장 보면)

태 실장　　(옅게 미소 짓고)

정　　　　들여보내.

철기의 뒤에서 모습을 드러내는 한 사람,
로펌 강산 변호사 배지를 단 도환이다...!

정　　　　...!!

아라　　　!!

도환　　　태형욱 씨 담당 변호사 오도환입니다.
　　　　　지금부터 진술거부권 행사하겠습니다.

S#10　　　**검찰청 복도 (낮)**

심각한 얼굴로 서 있는 정.

잠시 후 아라가 정에게 다가온다.

아라   오도환 감찰 무마됐대.

정   사유는요?

아라   확인 불가. 감찰부도 당황하는 눈치야.

정   (픽 웃는) 빽이 좋으시네. 오도환 변호사님.

날카로운 표정으로 취조실 바라보는 정.

S#11   **검찰청 취조실 (낮)**

마주 앉아 있는 태 실장과 도환.

도환   서현규 대표님이 보내서서 왔습니다.
           몸은 어떠세요.

태 실장   괜찮습니다.

도환   다행이네요.
           대표님한테 전할 말씀 있으시면 전달해 드리겠습니다.

태 실장   (뭔가 이상한) 전할 말씀이요?

도환   (태 실장 보는)

태 실장   (보다가) 나가서 직접 뵙고 말씀 드리겠습니다.

도환   태형욱 씨가 나가는 일은 없을 겁니다.

태 실장   !!

도환   제가 막을 겁니다. 물론 태형욱 씨 목소리도요.

태 실장   당신이 나를?

도환	사람은 누구나 죽습니다.
	태형욱 씨도 마찬가지입니다.
태 실장	(노려보는)
도환	태형욱 씨가 사람을 죽이듯이,
	사람도 태형욱 씨를 죽일 수 있습니다.
	검사 출신 변호사인 저는 그런 사람들을
	아주 많이 알고 있고요.
태 실장	(동요하는)
도환	(일어서는) 조만간에 다시 찾아뵙겠습니다. 그럼.
	(밖으로 나가는)

S#12   검찰청 복도 (낮)

서 있는 정과 아라. 잠시 후 도환이 밖으로 나온다.

도환	잘 부탁한다. (악수 청하는)

쓱 손 내미는 정.
도환 보면,
가위바위보 하듯 가위를 내고 있는 정.

아라	(어이없이 정 바라보고)
도환	(웃는) 너답다.
정	(도환의 변호사 배지 보는) 로펌 강산...
	(의미심장한) 좋은 데 들어갔다?

도환	또 보자. 신 검사도.
아라	(도환에게 주먹감자 날리는)
정	(어이없이 아라 바라보고)

미소로 걸음 옮기는 도환.
그런 도환을 바라보는 정과 아라. 각각의 표정에서.

S#13   민원봉사 사무실 (낮)

노트북 앞에 앉아 있는 중도.
그 옆엔 정과 아라, 은지와 철기가 서 있고.

중도	(노트북과 MP3 연결하려 하며, 긴장된) 진짜 한다?
정	해.
중도	느낌 불안한데...
	괜히 열었다가 영화처럼 폭탄이라도 터지면...

하며 고개 돌려보면, 멀찍이 물러서 있는 정과 아라,
은지와 철기.

중도	(어이없이 사람들 보다가) 할게 그냥.

노트북과 MP3 연결하는 중도.
어느새 다가와 함께 노트북 모니터 바라보는 사람들.
MP3 폴더 안,

안치환 **'사람이 꽃보다 아름다워'**, **'내가 만일'**,
김광석 **'서른 즈음에'**, 윤상 **'달리기'** 등
음악들(정의 부가 즐겨 듣는)과 함께
'취재'란 이름의 프로그램 아이콘이 보인다.

은지   취재?

철기   무슨 취재일까요?

폴더 안 음악들과 **'취재'**를 바라보는 정.
설마 싶은 표정.

아라   진 검사?

정   (프로그램 아이콘 가리키는) 열어 봐.

중도 아이콘 더블 클릭하면,
클라우드 가상 드라이브 같은 느낌의 프로그램이 뜬다.
비밀번호를 입력하라는 로그인 창.
로그인 해킹 프로그램을 실행시키는 중도.
키보드 두드리다가 고개 갸웃하면,

정   안 돼?

중도   코드 호환 알고리즘 툴 없인 안 될 거 같은데…
　　　　락 소스 근처에도 못 가고 있어.

은지   무슨 말이야?

중도   일단 이 프로그램 자체가 굉장히 오래된 거야.

적어도 10년 이상.

로그인을 뚫기 위해선

내부에서 락을 담당하고 있는 소스에 접근해야 하는데

코드 알고리즘 자체가 워낙에 옛날 거다 보니까...

사람들　　(뭔 소리야? 중도 바라보고)

중도　　...여튼 지금 장비론 안 된다고.

열쇠 따는 도구가 현대식이면 뭐 해

자물쇠가 재래식인데.

정　　장비를 구하면?

중도　　시도는 해 볼 수 있겠지.

근데 더 큰 문젠 이 시스템이 이중 보안이라는 거.

비번 세 번 틀리잖아?

안에 뭐가 들었든 데이터 완전 삭제.

빌 게이츠도 복구 못해.

정　　(작게 한숨 내쉬며 노트북 모니터 바라보는)

(경과)

이장원과 효준, 박예영, 한수빈과 유진철

각각의 사진과 인물관계도,

서초동 살인사건 자료들이 붙어 있는 화이트보드.

보드 한쪽엔 **'사건 진범은?'** **'MP3?'**라 적혀 있다.

한자리에 모여 화이트보드 바라보고 있는 정과 아라,

중도와 은지 철기.

정　　차장님은 피해자 박예영의 집에서

(MP3 들어 보이는) 이 MP3를 잃어버렸어.

◀ **플래시백**

3화 69씬

박예영   아저씨가 저번에 왔을 때 잃어버렸다 한 거 있잖아.
         아무리 찾아도 없던데?

정   서초동 살인사건 발생 후,
         피해자 친구 한수빈은
         분양받은 고양이 캣타워에서 MP3를 발견,
         마침 이걸 찾고 있던 차장님한테 넘겨 줬고.

+ **인서트**

4화 22씬 연결

이장원의 차 안,
한수빈에게 MP3를 건네받는 이장원,
안도의 한숨 내쉬고.

정   어쩌면 이 모든 시작은...
         서초동 살인사건부터일지도 몰라.

         아라와 삼 남매, 화이트보드 바라보고.

정   우리가 최우선으로 집중해야 할 건
         (보드에 **'사건 진범은?'** 가리키는) 진범. 진범을 찾는 거야.

아라	피해자 박예영을 누가 죽였는지 왜 죽였는지 대체 이 빌어먹을 물건의 정체가 뭔지. 진범을 잡으면 전부 알 수 있을 거야. 이걸 왜 실장님이 갖고 있었는지도.

비어 있는 박재경의 자리를 바라보는 정.

S#14   **추모 공원 (낮)**

소주가 들은 비닐봉지 든 채 걸음 옮기는 박재경.
어느 묘비 앞에 멈춰 선다.
'故 진강우의 묘'
가라앉은 얼굴로 묘비 바라보는 박재경.

S#15   **회상, 장례식장 복도 (밤)**

헐레벌떡 뛰어가는 박재경의 모습.

S#16   **회상, 장례식장 빈소 (밤)**

빈소 안으로 뛰어 들어오는 박재경.
거친 숨 몰아쉬며 정의 부 영정사진을 바라본다.
망연하고도 황망한 표정.
박재경 옆을 보면, 상주석에 서 있는 정의 모와,
새근새근 자고 있는 어린 정.

꼬마 아이 바라보는 박재경의 모습에서.

S#17   **추모 공원 (낮)**

종이컵에 소주를 따라 묘비 앞에 놔두는 박재경.

박재경   내가 당신 아들 때문에...
         골치가 아파. (피식 웃음 짓고)

진검승부

S#18   **로펌 강산 전경 (밤)**

S#19   **로펌 강산 도환의 사무실 (이하 도환의 사무실) (밤)**

창밖 야경을 바라보며 서 있는 도환.
잠시 후 똑똑 노크 소리.
도환 뒤돌아보면,
문가에 서 있는 한 사람, 지한이다.

도환   (꾸벅 목례하고)
지한   (책상으로 다가가 도환의 명함 보는) 로펌 강산 오도환 변호사...
         좋네요. 어감이 검사보단 훨씬 낫다.

도환	감사합니다.
지한	우리 아버진 어떻게 구워삶았어요?
	하여간 이리 붙었다 저리 붙었다 능력도 좋아.
도환	무슨 일이시죠?
지한	앞으로 한 식군데 인사는 해야 될 거 같아서.
	(도환에게 악수 청하는) EP로서의 예의.
도환	(악수하는) 잘 부탁드립니다.
지한	그땐 아쉬웠어요.
	검사 머리 박는 거 꼭 보고 싶었는데
	갑자기 나가셔가지고... (조롱하듯 웃음 짓고)
도환	(표정 서늘해져 지한 노려보면)
지한	오오 무서워라.
	(정색하며 도환 노려보는) 눈에 힘 좀 빼죠?
	나 사람 예의 없는 거 되게 싫어하는데.
도환	사람에 대한 예의부터 지키시죠.
지한	사람도 급이 있는데 그럴 수야 있나.
	설마 같은 급이라 생각한 거? 나랑 변호사님이랑?
도환	(노려보는데)
지한	아버지 눈에 들었다고 어깨에 뽕 좀 찼나 본데
	그러지 마 변호사님.
	당신은 그냥 변호사 겸 아버지 운전기사일 뿐이야.
	난 여기 강산의 대표가 될 사람이고.
도환	(자기도 모르게 풉 웃음 터뜨리는)
지한	웃어?
도환	죄송합니다. (일부러 또박또박)

차기 강산의 대표가 되실 서지한 변호사님을
제가 몰라뵀습니다. 사과드리겠습니다.

지한   (뭔가 느낌이 이상한, 도환 보는데)

그때 안으로 들어오는 한 사람,
박스를 든 강 수사관이다.
(로펌으로 왔지만 혼란방지를 위해 계속 강 수사관이라 칭하겠습니다.)

강 수사관   변호사님 이 박스는 어디...

              (하다가 멈칫, 도환과 지한 바라보고)

지한   나중에 봅시다.

밖으로 걸음 옮기는 지한.
그런 지한을 서늘히 바라보는 도환이고.

S#20   아라의 사무실 (밤)

노트북으로 박예영의 SNS 사진들을 보고 있는 아라.
셀카, 산책, 야경, 커피 마시는 모습 등
평범한 사진들이다.

아라   (사진들 보고 있으면)

박 수사관   (아라에게 다가와) 검사님? 시간이 많이 늦었습니다.

              밥 먹고 하시죠.

아라   벌써 시간이 그렇게 됐나? 중식 어때요?

윤 사무관	콜입니다!
아라	메뉴는 님들이 원하시는 대로.
	고생하시는데 그 정돈 해 드려야지.
윤 사무	(신나서) 주문 받겠습니다!
박 수사관	역시 우리 검사님.
	(윤 사무관에게) 난 깐풍기랑 유산슬 밥... (하는데)
아라	전 짬뽕이요.
박 수사관	(바로) 짬뽕 세 개.
윤 사무	(기운 빠져서) 알겠습니다...
아라	농담 농담.
	마음대로 세 개 시키시고 짜장 하나 더 부탁해요.

S#21 　민원봉사 사무실 (밤)

아무도 없는 사무실 안.
서초동 살인사건 자료들 붙어 있는 화이트보드 바라보며
생각에 잠겨 있는 정.
잠시 후 문이 열리는 소리.
음식 담긴 비닐 들고 안으로 들어오는 아라.

정	퇴근 안 했어요?
아라	(비닐 들어 보이는) 오다 주웠다.
정	(미소 짓고)

(경과)

가운데 테이블에 앉아
짜장면과 짬뽕 먹고 있는 정과 아라.

정　　　단서가 너무 없어요.
　　　　김효준이 진범 아닌 건 알겠는데 다음이 안 보여요.
　　　　선배는요?
아라　　박예영 SNS도 마찬가지야.
　　　　놀러 가서 찍은 건 잔뜩 있는데 이렇다 할 건 없어.

　　　　책상에서 노트북 가져와
　　　　박예영의 SNS 보여 주는 아라.
　　　　마우스 스크롤 내리며 SNS 사진 보는 정.
　　　　골프장 야외 필드에서 찍은 사진에서 멈칫,
　　　　지긋이 사진 바라본다.
　　　　사진 한쪽, 핸드폰으로 박예영을 찍어 주고 있는
　　　　남자의 그림자가 보인다.
　　　　사진 속 그림자에 마우스를 갖다 대는 정.
　　　　몰래 태그 되어 있는 또 다른 계정이 뜬다.
　　　　'@YYsluv'.
　　　　정 계정 클릭하면,
　　　　소개도 사진도 아무것도 없는
　　　　SNS 화면이 뜬다.

아라　　(표정 심각해지는) 차장님 계정은 아닌 거 같네.
정　　　그리고 이 사진.

박예영이 외제 차 조수석에서
꽃다발 들고 찍은 사진을 보여 주는 정.
유심히 사진을 보는 아라.
문득 시트 헤드레스트에 박혀 있는
외제 차 엠블럼이 눈에 띈다.
잠시 사진 바라보다가, 번뜩 떠오른 생각에
피식 미소 짓는 아라.

아라   국민 정서에 안 맞는 차긴 하다.
　　　　차장검사 공무원이 타기엔.

박예영이 쓴 글,
'오빠의 서프라이즈 선물♥'
그중 **'오빠'** 바라보는 정의 표정에서.

S#22   **카페 (낮)**

자리에 앉아 있는 아라.
맞은편엔 박예영의 친구 한수빈이 앉아 있고.
한수빈에게 태블릿 PC를 건네는 아라.
한수빈 보면, 박예영이 외제 차 조수석에서
꽃다발 들고 있는 사진이 떠 있고.

아라   혹시 박예영 씨한테 다른 남자가 있었나요?
　　　　이장원 차장님 말고.

한수빈	(알고 있다, 표정)
아라	여기 박예영 씨가 타고 있는 차,
	차장님 차가 아니에요.
	이날 차장님은 세미나 때문에 제주도 출장 중이셨고
	다른 사진들도 마찬가지입니다.
	박예영 씨가 찍은 사진의 날짜 시간 전부가,
	차장님 스케줄과는 맞지 않고 있어요.
한수빈	아저씨 만나기 전에…
	먼저 알고 지낸 남자가 있다곤 얘기 들었어요.
아라	누구죠 그게?
한수빈	저도 말만 들어 자세하게는…
	예영이가 절대 말 안 해 줬거든요 그 사람이 싫어한다고.
아라	사귀는 사이?
한수빈	예영이 말로는요. 근데 제가 봤을 땐 뭐랄까…
	예영이가 더 많이 좋아한 느낌이었어요.
아라	(누구지? 의문스러운 표정에서)

S#23   거리, 정의 차 안 교차 (낮)

도로를 달리는 정의 차.
운전석에 앉아 핸드폰 통화 중인 정.

아라(소리)	피해자 박예영 씨 따로 만나는 사람이 있었어.
	밖으로 드러난 사이가 아니라
	경찰 조사에선 누락됐던 거 같아.

정   한 명의 남자가 더 있었다.
          그 남자가 누군지부터 알아보죠.

          거리, 걸음 옮기며 핸드폰 통화 중인 아라.

아라   어떻게? 정보가 너무 없잖아?
정   피해자 박예영을 차장님한테 소개시켜준 놈.
          그놈이라면 알고 있을 겁니다.
아라   (누구? 생각하다가) 유진철?

          꾸욱 엑셀을 밟는 정. 빠르게 달려 나가는 정의 차.

S#24   **유진철 대표실 (밤)**

          쾅 문을 박차고 안으로 들어오는 정.
          정 멈칫 보면,
          급하게 도망간 듯 어수선하게 비어 있는 사무실.

정   (엥?) 어디 갔어?

          사무실 안을 둘러보는 정.
          문득 책상 밑에 떨어져 있는 메모지를 줍는 정.
          메모지, 어느 횟집 주소가 적혀있다.
          '인천 중구 항동7가 81-7, 해산횟집'

S#25   민원봉사 사무실, 유진철의 사무실 건물 밖 교차 (밤)

스피커폰으로 핸드폰 통화 중인 철기.
가운데 테이블엔 중도가 앉아 있고.

정(소리)   어떻게 됐어?

철기   (서류 보며)

           가짜 양주 밀반입 혐의로 체포 영장이 발부됐습니다.
           현재는 도주 상태로 수배령 내려졌고요.

           건물 밖으로 나오며 핸드폰 통화 중인 정.

정   (애써 꾹 화 참고) 횟집 주소는?

중도   그냥 횟집이던데? 이상한 거 없어.

정   (난감한 얼굴로 작게 한숨 내쉬는) 어디로 잠수 탔는지
           단서가 전혀 없단 거네?

철기   최선을 다해 찾아보겠습니다만...

           그때 코코를 산책시키고 안으로 들어오는 은지.
           연습장에 적혀 있는 횟집 주소 유심히 바라보고.

정   일단 오케이.
           관할 경찰서랑 담당자 이름 문자로 보내줘.
           지금으로선 그쪽에 협조 구하는 게 빠른 거 같으니까...
           (하는데)

은지	(담담한) 여기 밀항업첸데.
철기	!!
정	!! 밀항?
은지	응. 횟집으로 위장한 사무실.
	옛날에 우리 식구들도 이용했고...
	(하다가 멈칫, 딴청 피우는)
중도	(은지에게) 굳이 물어보진 않을게.
정	밀항 작업하는 애들 찾을 수 있겠어?
은지	몇 개월 단위로 사무실 옮기는 애들이야.
	쉽지 않을 거 같은데.
정	내가 부탁해도?
은지	(얼굴 발그레해져 미소 짓는)
중도	(철기에게) 저게 빨개질 멘트야?
철기	멘트가 중요한 게 아니더라고요. 메신저가 중요한 겁니다.
은지	진검 부탁이니까... 최대한 빨리 알아볼게.
정	땡큐.
철기	근데 검사님,
	이미 밖으로 나갔다면 너무 늦은 거 아닐까요?
정	미국이든 아프리카든 상관없어. 무조건 쫓아간다.

핸드폰 내리는 정. 결연한 얼굴 표정에서.

S#26   **부둣가 근처 횟집 밖 (낮)**

야외 테이블 의자에 앉아 소주와 회를 먹고 있는

브로커(40대 남).

잠시 후 브로커 옆에 서는 두 사람,

목검을 든 정과 철기다.

브로커	뉘쇼?
정	검사. (핸드폰으로 유진철의 사진 보여 주는) 이놈 알지.
브로커	(사진 보다가) 글쎄요 모르겠는디...
정	진짜 몰라? 난 다 알고 왔는데?
브로커	모르는 걸 모른다 하지 어찌 사나이가 거짓부렁을 치겠소.
	일 없으니까 들어가쇼.
정	하여튼 꼭 말로 하면 안 들어요.
	(목검 든 손 이리저리 풀어 주고)
브로커	말이 안 통하는 건 그쪽이지. (횟집 향해) 아그들아!!

횟집 밖으로 우르르 튀어나오는 브로커의 부하들.

브로커	여기 분들이 우리 일에 통 관심이 많으신갑다.
	알아듣게 잘 얘기해 드려.
철기	(탄식) 왜 맨날 이렇게 되는 걸까요.
정	그러게. 굿이라도 해야 되나.
브로커	밟아!

정에게 달려드는 부하들!

(경과)

난장판이 된 횟집 밖 빗자루로 청소하고 있는 부하들.
테이블 의자에 앉아 회를 먹고 있는 정과 철기.
그들 앞엔 브로커가 무릎 꿇은 채 앉아 있고.

정	(핸드폰으로 유진철 사진 보여 주면)
브로커	예, 예 알고 있습니다.
정	외국 어디로 보냈어?
브로커	그게... 그게 사실... (미치겠단 표정)

S#27   **외딴섬 전경 (낮)**

S#28   **염전 밭 (낮)**

끝도 없이 광활하게 펼쳐져 있는 염전 밭.
인부들과 함께 소금 밀대 밀고 있는 유진철.
꼬질꼬질하고 초췌한 모습.

S#29   **부둣가 근처 횟집 (낮)**

맙소사... 멍하니 브로커 바라보는 철기.
정 역시 애써 침착한 척하지만
차마 말을 잇지 못하고...

브로커	아니 그 자식이 배 타자마자 갑자기 말을 바꾸잖아요 잔금 못 주겠다고.

우리도 먹고 살아야 되는데 별수 있나

그렇게라도 충당해야지.

근데 걔가 일이 야무져.

걔 들어온 다음 소금 수확량이 확 늘었대요.

정　　　(기가 찬) 그 와중에?

브로커　　예. (손가락 딱 튕기는) 천직이었던 거지.

정　　　(돌아버리겠네...)

S#30　　**낚싯배 (낮)**

바다를 가르며 이동하고 있는 낚싯배.

각각 멋들어진 선글라스 쓰고 서 있는 정과 철기.

S#31　　**염전 밭 (낮)**

열심히 소금 밀대로 밀고 있는 유진철.

이마의 땀 훔쳐내며 내리쬐는 햇살 미소로 바라보고...

그런 유진철을 흐뭇한 미소로 바라보는 반장.

반장　　　아따 우리 진철이, 인자 제법 본새가 매시럽네잉.

유진철　　(억지 웃음) 에이 뭘요, 이게 다 반장님 덕분이죠.

반장　　　저번처럼 토끼다 걸려 가지고 후드려 맞지 말고

　　　　　지금처럼만 혀 지금처럼만.

유진철　　(억지 웃음) 일주일 동안 소금만 먹었죠.

　　　　　걱정마세요 반장님, 이제 여기가 제 평생직장인걸요.

하하하!!

흐뭇이 유진철의 어깨 툭툭 쳐주곤 걸음 옮기는 반장.
웃으며 반장을 바라보는 유진철.
어느 순간 깊은 한숨 내쉬며 하늘 바라보는데,
그때,

정(소리)　　　진철아!!

유진철 돌아보면,
염전 밭 일각, 서 있는 한 사람, 정이다...!

정　　　　　집에 가자!
유진철　　　(믿기지 않는) 검, 검사님?
철기　　　　(측은한) 애가 얼굴이 반쪽이 됐네요.
정　　　　　쟤는 좀 돼야 돼. 너무 컸어.
유진철　　　(감격과 환희) 검사니이이이임!!

들고 있던 밀대 팽개치고 정에게 달려가는 유진철.

S#32　　　**소금 창고 [밤]**

소금이 산처럼 수북이 쌓여 있는 창고 안.
소금에 묻혀 목만 나온 상태의 유진철.
그 앞엔 정과 철기가 서 있고.

유진철	집에 가자면서 왜 여기... (정 보는데)
정	(쌓여 있는 소금 만지작거리며) 하는 거 봐서.
	(입에 넣어 보곤, 으 짜!)
철기	박예영 씨에 대해 물어볼 게 있어 왔습니다.
	서초동 살인사건 피해자.
	유진철 씨가 관리했던 유흥업소 여직원.
유진철	죽은 애를 왜 또 갑자기...
정	남자 있는 거 알고 있었지. 누구야.
유진철	예?
정	(바가지로 소금 한 사발 퍼서 유진철에게 다가가는데)
유진철	잠깐만 있어 봐 있어 봐.
	저도 감으로는 알고 있었거든요?
	근데 누군진 진짜 몰라. 맹세.
철기	(정말 모르는 눈치다, 정 보는)
정	(작게 한숨 내쉬는데)
유진철	검사님도 아시겠지만 애들 관리하는 게
	이게 쉬운 게 아니에요.
	육이오 때도 애는 낳는다는데
	그걸 내가 어떻게 다 통제해.
	박예영 걔도 그런 겁니다.
	그러면서 돈은 또 벌고 싶어가지고
	차장님 소개시켜 달라 그러고... (하는데)
정	!! 뭐?
유진철	뭐가요? 육이오?
정	아니 그다음. 차장님 소개.

유진철	예 소개...
	걔가 나한테 차장님 소개시켜 달라고...
정	(표정 서늘해지고) 니가 소개시켜 준 게 아니다.
유진철	어느 날인가 갑자기 저한테 그러더라고요.
	자기 차장검사랑 엮어 줄 수 있냐고.

S#33　　**회상, 유진철 대표실 (밤)**

책상 의자에 앉아 있는 유진철.
한쪽 소파엔 박예영이 앉아 있고.

유진철	뭐?
박예영	오빠가 아는 그 사람 소개시켜 달라고. 이장원 검사.
유진철	갑자기 왜? 너 아저씨들 싫어하잖아.
박예영	(얼버무리며 말 돌리듯) 그냥 뭐...
	그 사람 중앙 지검 차장검사라며.
	나도 급 있는 사람 만나고 싶어 그런다 왜.

S#34　　**회상, 고급 일식집 룸 안 (밤)**

마주 앉아 식사를 하고 있는 이장원과 유진철.
잠시 후 똑똑 노크 소리.
안으로 들어오는 한 사람, 박예영이다.

| 박예영 | (유진철 옆에 앉으면) |

유진철	인사 드려. 이쪽은 이장원 차장검사님.
박예영	(다소곳한) 처음 뵙겠습니다. 박예영입니다.
이장원	(곤란한 표정) 유 사장, 이러는 건 내가 좀...
유진철	오해십니다 차장님.
	전 그저 이 친구가 차장님을 꼭 한번 뵙고 싶어 하길래...
	뭐해 술 한 잔 드리고.
박예영	(술 주전자 드는, 이장원 바라보며 미소 짓고)
이장원	(술잔 드는, 박예영 바라보고)

술 주전자를 드는 박예영.
미소로 이장원을 바라본다.
그런 박예영 잠시 바라보다가,
술잔을 드는 이장원.

S#35 **소금 창고 (밤)**

정	박예영이 왜 차장님을 소개시켜 달라 한지는?
유진철	갑자기 목이 칼칼하네.
	슬슬 이제 기름칠을 해야... (하는데)
정	(바가지로 소금 한 사발 푸고)
유진철	오빠. 확실하게 들었습니다.

S#36 **회상, 고급 일식집 화장실 앞 (밤)**

누군가와 핸드폰 통화를 하고 있는 박예영.

박예영	오빠가 하란 대로 했어.
	근데 오빠 나 이거 꼭 해야 돼? …
	싫다는 건 아니고 그냥 오빠도 있는데… (듣고)
	… 알았어 이따 연락할게.

핸드폰 내리는 박예영.
뒤돌아 걸음 옮기려 하는데, 유진철이 그 앞에 선다.

유진철	누군데 그렇게 다정하게 통화하냐?
박예영	아냐 아무것도. 아는 오빠. (지나가려 하는데)
유진철	(덥석 박예영 잡는, 서늘한)
	니가 부탁해 만든 자리다. 집중하자.

유진철의 손 뿌리치고 걸음 옮기는 박예영.
그런 박예영 수상쩍게 바라보는 유진철의 모습에서.

S#37   **소금 창고 (밤)**

정	(생각에 잠긴 표정)
유진철	여하튼 내가 아는 건 이게 전부입니다.
	예영이 죽은 그거랑 관련해선
	오 검사한테 다 얘기했고.
정	저번에도 그렇고 오도환한테 뭘 얘기했다는 거냐?
유진철	이 사람 답답하네 진짜.
	이장원 차장 진범 아니라고 오 검사한테 다 얘기했다고.

정	자세히 얘기해 봐.
유진철	내가 차장검사랑 박예영이
	같이 집에 들어가는 사진 찍었을 때,
	그때 한 놈 더 있었다고 박예영 집 찾아간 놈.

+　　　　인서트

3화 71씬 연결

박예영의 집 앞 조금 떨어진 곳.

자신의 차 안에 앉아 있는 유진철.

카메라 보면,

이장원과 박예영의 모습이 여러 장 찍혀있다.

그때 유진철의 차를 스쳐

박예영의 집 향해 걸어가는 한 남자(지한).

남자의 뒷모습 바라보는 유진철.

남자,

한 손으론 특이한 모양의 피젯 스피너를 돌리고 있다.

정	(심각한 표정) 피젯 스피너?
유진철	예 그 손으로 돌리는 거.
정	...블랙박스 어딨어.
유진철	(뭐라 말해야지 싶은데)
정	어딨냐고 인마!
유진철	(기어들어가는) 그것도 오도환 검사한테...
정	죽어 그냥.
	(유진철에게 바가지에 담긴 소금 확 뿌리는 데서)

S#38   **구치소 주차장 (낮)**

멈춰 서는 현규의 차.
운전석에서 내리는 도환,
뒷문 열어 주면, 현규가 내린다.
현규 앞을 보면,
이제야 모습을 보이는 건물, 구치소다.
구치소를 향해 걸음 옮기는 현규와 도환.

S#39   **구치소 특별 면회실 (낮)**

교도관과 함께 안으로 들어오는 김태호.
멈칫 보면, 소파에 앉아 있는 현규.
현규의 뒤엔 도환이 서 있고.
교도관에게 고개 끄덕이는 현규.
꾸벅 인사 후 밖으로 나가는 교도관.

김태호   (현규에게, 고까운) 일찍 오셨네요.
           (도환에게) 오랜만이다?
도환   (김태호 보는)
현규   앉아. 앉아서 얘기해.
김태호   (맞은편 소파에 앉는, 현규 보면)
현규   (쯧쯧쯧...) 살 많이 축났다.
           여기 소장한텐 최대한 너 편의 봐주라 말해 놨으니까...
           (하는데)

155

김태호	나가고 싶습니다.
현규	(인자하게 김태호 보는)
김태호	형님한테 어려운 일 아니란 거 알고 있습니다.
	불구속이든 뭐든 좋으니까 꺼내 주십쇼.
현규	상황이 좋지가 않아.
	잘못 움직였다간 더 말릴 수가 있다고.
	지금은 보는 눈도 많고 조금만 참고 있자 태호야.
김태호	(냉소하는) 개 한 마리 새로 사셨다 이겁니까? (도환 보는)
도환	(담담한 표정)
현규	(보는)
김태호	그동안 형님이 시키시는 일이라면 전 뭐든지 해 왔습니다.
	검사로선 해선 안 될 짓까지 하면서 손에 똥오줌 묻혔어요.
	근데 그 충성의 대가가, 겨우 이거인 겁니까?
현규	(서늘한) 며칠 못 본 사이에...
	버릇이 많이 없어졌네. 우리 태호.
김태호	(분한 듯 현규 바라보는데)
현규	(도환에게) 가자.

자리에서 일어서는 현규,
김태호에겐 시선도 주지 않은 채
밖으로 걸음 옮기는데,

김태호	(벌떡 일어나) 당신이 무슨 짓을 했는지 다 알아!
현규	(멈칫, 서늘히 김태호 보는)
김태호	내가 입 열면 당신도 끝장이야 알아?!

	(다가가 현규의 멱살 와락 잡으며) 당장 나 꺼내.

안 그럼 당신이 옛날에 무슨 짓을 했는지

당신 서고에 뭐가 있는지까지 전부 불어 버릴 거니까!

도환   (서고? 표정)

현규   (점잖은) 태호야. 이거 놓자. 안 그럼 니 가족 죽어.

김태호   !!

현규   니 친구처럼 만들어 줘? 지금?

이 악물고 현규 바라보다가,

결국 멱살 잡은 손 푸는 김태호.

참담한 얼굴로 고개 숙인다.

대수롭지 않게 옷매무새 가다듬곤 밖으로 나가는 현규.

도환 그 뒤를 따라 나가는데,

김태호   오도환. 지금 내 모습 똑똑히 새겨 둬.

너도 곧 나처럼 될 거니까.

도환   (보다가) 건강히 계십쇼. (꾸벅 인사 후 나가는)

혼자 남은 김태호. 꾸욱 부서져라 주먹을 쥔다.

절대 이대로 죽지 않겠다는, 결의에 찬 표정에서.

S#40   **민원봉사 사무실 (낮)**

서초동 살인사건 자료들이 붙어 있는 화이트보드,

그중 효준의 사진을 바라보며 서 있는 정.

◀ 플래시백

1화 44씬

유리벽을 사이에 두고 마주 앉아 있는 정과 효준.

효준   재밌네 이 사람.

지금 제가 범인이 아니란 거예요?

효준의 사진 바라보는 정. 그 위로

정(소리)   왜 허위자백을 한 거냐.

아라   (안으로 들어와) 유진철은 구속 처리했어.

나한테 고마워하더라 차라리 구치소가 낫다고.

정   (피식 웃고)

아라   (들고 있던 서류 보는) 그리고 김효준 정보 알아봐 달라 한 거.

하나 걸리는 게 있는데... (하다가, 사무실 안 둘러보는)

딴 사람들은?

책상 위 서류 몇 장을 아라에게 건네주는 정.

아라 보면, 민원 처리 요청서들이다.

S#41   몽타주

/ 초등학교 건널목 앞 (낮)

녹색 어머니회 옷 입은 채 깃발 들고 있는 중도.

나는 누군가 여긴 어딘가 멍하니 깃발 흔들어대고.

/ 미술학원 (낮)
그림 그리고 있는 여학생들 사이,
상의 벗은 채 포즈를 취하고 있는 철기.
학생들에게 환하게 웃어 보이면,
꺄아아 부끄러워하는 여학생들.

/ 노숙자 재활센터 앞 (낮)
'사랑과 희망나눔 미용봉사' 플래카드가 붙어 있는
센터 앞 마당.
노숙자들 이발 봉사를 하고 있는 사람들.
그 사이에 껴 있는 은지와 민구, 부하 2명.
랩터 가위로 마구 노숙자 머리를 자르는 은지.
삐뚤빼뚤한 머리를 보곤 이게 아닌가? 고개 갸웃하는데,

민구   (답답한) 누님! 사람 담글 때 쓰는 거 말고
            (미용 가위 보이며) 이거 쓰세요 이거.

!! 일제히 은지 바라보는 사람들과 노숙자들.

S#42   **민원봉사 사무실 (낮)**

아라   (어이없는) …아.
정   국민의 민원봉사실이잖아요. 할 일은 해야지.
아라   (멍하니 사무실 한쪽 구석 쌓여 있는 박스들 바라보고)
정   걸리는 거라뇨?

아라   어 그게... (서류 보며) 복역 중에 변호사 통해
        자기가 살던 집을 매입했어.
        원래 월세였는데 시세보다 더 높게.

        화이트보드에 붙어 있는
        효준의 집 현관문 사진을 보는 정.
        허름한 빌라 반지하다.

아라   냄새가 나지?
        다 쓰러져 가는 빌라 반지하를
        왜 시세보다 높게 샀을까?
        그 동네에서 그 돈이면 오피스텔을 살 수 있는데.

정   (효준의 집 사진 바라보는, 표정에서)

S#43   **주택가 골목 (낮)**

        걸음 옮기고 있는 정과 아라.
        핸드폰 속 지도 앱 보며 주변 살피던 정,
        허름한 빌라를 손으로 가리킨다.

S#44   **효준의 집 앞 (낮)**

        허름한 빌라 반지하.
        열쇠 수리공(50대 남)이 문고리를 뜯고 있다.
        그 뒤에 서 있는 정과 아라.

/효준의 집 (낮)

안으로 들어오는 정과 아라.

정   분명 여기 단서가 있을 거예요.

　　　　김효준이 왜 진범 대신 대타를 섰는지.

아라   시작하자.

/ 현관 신발장을 열어 보는 정

공구함과 낡은 신발들이 보인다.

공구함 열어 보면,

드라이버를 포함한 각종 공구가 보이고.

/ 방안

책상 위 쌓여 있는 우편물들을 보는 아라.

전부 체납 독촉장들이다.

/ 거실

로또와 복권들이 수북이 쌓여 있는 식탁 바라보는 정.

바닥 한쪽엔 소주병들과 쓰레기들이 나뒹굴고 있고.

/ 방안

책상 서랍을 여는 아라.

서랍 안, 사채와 담보대출 관련 전단지가 가득 들어 있다.

바라보는 아라의 표정.

/ 어두운 화장실

안으로 들어오는 정.
환풍기 스위치와 전등 스위치를 동시에 켠다.
(각 스위치마다 '**환풍기**', '**전등**' 메모가 붙어 있는)
환하게 밝아진 화장실을 둘러본다. 특별한 건 없다.
뒤돌아 나가려다가 멈칫,
자신이 킨 환풍기 스위치를 바라본다.
천장에 부착된 환풍기 보면, 작동하지 않고 있다.
스위치를 다시 껐다 켜 봐도 마찬가지.
수상하다 싶은 정의 표정.
(경과)
드라이버를 이용해 환풍기를 뜯어내고 있는 정.
그 옆엔 아라가 서 있고.
우지끈 환풍기를 뜯어내는 정. 주먹으로 쿵 천장을 때린다.
잠시 후, 바닥으로 우수수 떨어지기 시작하는
5만 원권 지폐…!
놀란 얼굴로 떨어지는 지폐 바라보는 아라.
효준이 왜 자수했는지 알겠다. 서늘한 정의 표정에서.

S#46   **교도소 복도 (낮)**

교도관과 함께 걸음 옮기는 효준.

S#47   교도소 면회실 (낮)

자리에 앉아 있는 정.
잠시 후 효준이 교도관과 함께 안으로 들어온다.
유리 벽을 사이에 두고 마주 앉는 정과 효준.
교도관도 한쪽 의자에 자리하고.

효준   (껄렁하게 앉는) 잘 지냈어요?
정   (서늘히 효준 보는)
효준   할 말 있다며. 나 그래서 나온 건데?
정   (바라보고)
효준   (정 보다가) 당신도 참 할 일 없나 보다.
        들어가세요. (자리에서 일어서는데)
정   진범에 대한 목격자가 나왔어.
효준   !! (멈칫, 정 보는)

효준을 노려보는 정. 다시 앉으라 의자 가리킨다.
다시 자리에 앉는 효준.
애써 긴장 숨긴 채 정 바라본다.
핸드폰 사진을 효준에게 보여 주는 정.
효준 사진 보면, 자신의 집 화장실 안,
수북이 쌓여있는 5만 원권 다발들...!

효준   !!
정   다시 물을게.

효준	너 이거 뭐야.
정	정말 니가.
효준	(벌떡 일어나 유리 벽 쾅 치며) 이거 뭐냐고 이 새꺄!
	내가 너 죽여 버릴 거라고!
정	박예영 죽였어?
효준	너 그거 건들기만 해 봐. 죽여 버릴 거야 알어?
	내가 너 죽여 버릴 거라고!
교도관	조용히 안 해!
정	(효준에게, 차분한) 앉아. 안 그럼 너 나 다신 못 봐.

정 노려보다가, 결국 진정하고 자리에 앉는 효준.

정	20억쯤 되더라.
	돈 준 놈이 미쳤다고 한번에 줬을 린 없고,
	계약금이야?
효준	(정 보는)
정	니 형기 채우는 날 같은 액수 주기로 했다 치면
	20년에 40억.
	(피식) 억대 연봉이네.
효준	원하는 게 뭐야.
정	진실.
효준	(냉소하는데)
정	웃을 때는 아닌 거 같은데, 니 인질 나한테 있다.
효준	또라이 같은 새끼. 마음대로 해 봐.
	출소 하는 날 무조건 너부터 찾아갈 테니까.
정	(서늘히 보다가) 니가 아직 나를... 잘 모르는구나.

어딘가에 핸드폰 전화를 거는 정.
스피커폰 모드로 바꾼다.

철기(소리)   예 검사님.

정   (효준 보며) 돈 전부 태워.

효준   !! 뭐 하는 짓이야.

정   말해. 서초동 살인사건 무슨 일이 있었던 건지.

이 악물고 정을 노려보는 효준.
그런 효준의 시선 맞받는 정.

효준   ...이렇게 합시다. 생각을 좀만 해 볼게.
             일단 돈은 건들지 말고... (하는데)

정   어떻게 됐냐 철기야.

효준   !!

철기(소리)   준비됐습니다 검사님.

정   (효준에게) 3초 준다. 마지막 기회야 김효준.

효준   (긴장과 초조, 갈등)

정   셋, 둘, 하나. (핸드폰에) 태워.

효준   말할게요!

정   (표정)

효준   저 그 사람... 안 죽였어요.

정   자세히.

효준   (터지는) 나 아니라고 나 그 여자 알지도 못한다고!
             난 그냥 시키는 대로 한 거라고! (정 바라보는 데서)

S#48   **회상, 다세대 주택가 골목 (밤)**

택배 박스를 들고 걸음 옮기는 효준.
저 앞, 박예영의 집이 보인다.

S#49   **회상, 박예영의 집 현관문 앞 (밤)**

택배 박스 든 채 현관문 앞에 서는 효준.
현관 벨 누르려던 그때,
갑자기 집 안에서 들려오는 소리.

박예영(소리) 아무리 찾아도 없는 걸 어떡하라고!
효준   (무슨 일인가 싶은) 싸움 났나?

S#50   **회상, 박예영의 집 밖 일각 (밤)**

조심스레 걸음 옮겨 모퉁이 도는 효준.
거실 창문을 슬며시 연다.
창문 틈 사이로 거실 안 보면,
서 있는 박예영과 지한의 뒷모습.
지한은 손에 피젯 스피너를 들고 있고.
(효준의 시선에서 지한의 얼굴은 안 보인단 설정입니다.)

지한   여기서 없어졌다 그 사람이 그랬다며.
           근데 그게 갑자기 어디로 간 건데.

박예영	(작게 한숨 내쉬는, 자기도 뭐라 말해야 할지 모르겠고)
지한	(수상쩍게 박예영 보다가) 너 혹시 이장원이랑 붙어먹은 거냐?
박예영	!! 뭐?
지한	괜찮아 솔직히 말해 봐.
	노인네 물건 갖고 와라 붙어 났더니 정이라도 들었어?
	아님 돈? 걔가 첩으로 들어오래?
박예영	어떻게 나한테... 그런 소리를 해?
지한	못할 게 있나? (비웃음 담아) 너 술집 애잖아.
박예영	!!
지한	몇 번 놀아 줬다고 주제도 모르고. 버러지 같은 년.

짝! 지한의 뺨을 때리는 박예영. !!
놀라 두 사람 바라보는 효준이고.
눈가 그렁그렁해져 지한을 노려보는 박예영.

박예영	그래 나 술집 년이다. 넌? 넌 뭐가 그렇게 잘났는데?
	니 돈이랑 배경 니 거 아니잖아. 니 아버지 거잖아.
지한	(입속에서 혀로 뺨 어루만지는, 박예영 노려보고)
박예영	개새끼 어떻게 나한테...
	야 이 나쁜 새끼야, 난 그래도 너한텐 진심으로...!

하며 투정부리듯 지한의 가슴팍을 때리려 하는 박예영.
그때! 짝! 박예영의 뺨을 때리는 지한.
서늘한 얼굴로 박예영의 머리채 잡곤 계속해서 뺨을 갈긴다.
그 모습 놀라 바라보는 효준.

지한의 손 뿌리치고 부엌으로 달려가는 박예영.

나무 칼꽂이에서 식칼을 뽑으려 하는데,

지한이 한발 먼저 칼꽂이를 채간다.

우수수 바닥에 떨어지는 식칼.

나무 칼꽂이를 든 지한. 천천히 박예영에게 다가간다.

표정 얼어붙어 거실 안을 바라보는 효준.

그 위로 들리는 둔탁한 소리. 퍽! 퍽!

천천히 뒷걸음질 치기 시작하는 효준.

그때 갑자기 울리는 효준의 핸드폰 벨 소리!

나무 칼꽂이를 내려찍다가 멈칫하는 지한.

창문 향해 고개 돌리는 순간,

부리나케 밖으로 도망치는 효준...!

그리고 보이는 현관문 앞 택배 박스.

송장 번호가 새겨진 배송 정보 스티커가 붙어 있다.

S#51   **회상, 김효준의 집 거실 (밤)**

냉장고에서 소주 찾아 병째 들이키는 효준.

거친 숨 몰아쉬며 식은땀 닦아 낸다.

여전히 충격과 경악에서 벗어나지 못한 표정.

결심한 듯 품에서 핸드폰을 꺼낸다. '112' 누르는 그때,

갑자기 울리는 현관 벨 소리.

S#52   **회상, 김효준의 집 앞 (밤)**

안전 고리 건 채 현관문을 여는 효준.

그 앞, 태 실장이 서 있다.

태 실장   (통화 중 상태인 구형 핸드폰 건네주는)

효준   (핸드폰 받아 통화하는) 여보세요?

지한(소리)   김효준 씨?

효준   누구세요?

지한(소리)   아까 보셨잖아요. 나 김효준 씨한테 부탁할 게 있는데.

S#53   **회상. 효준의 집 거실 (밤)**

손톱을 물어뜯으며 거실 가운데 놓인 박스를
바라보고 있는 효준.
박스 안, 5만 원권 지폐가 가득 들어 있다…!
갈등 어린 얼굴로 박스 안 돈 바라보는 효준.
마른세수를 한다.
그때 울리는 핸드폰 문자 알림 진동.
효준 보면, 사채업자의 채무 독촉 문자다.
'밀린 이자랑 원금 내일까지다.'
핸드폰 속 다른 문자들 역시 전부 채무 독촉 문자들뿐.
짜증스레 핸드폰 내팽개치는 효준.
박스 안 5만 원권들을 바라본다.
바라보고 또 바라보다가,
후우우… 심호흡을 내뱉는다.
결심했다.
박스를 들고 화장실로 향하는 효준.

S#54   회상, 박예영의 집 거실 (밤)

조심스레 안으로 들어오는 효준.
멈칫 보면, 방호복을 입은 한 무리의 사람들이
현장을 청소하고 있다.
박예영의 시신과 효준은 아랑곳하지 않고
자기 일만 하는 방호복들.
찍어 놓은 현장 사진을 보며 난장판을 똑같이
재구성하기 시작한다.
그 모습 잔뜩 얼어붙어 바라보는 효준.
효준의 옷에 박예영의 피를 묻히는 방호복1.
방호복2는
피 묻은 나무 칼꽂이를 효준의 오른손에 쥐어 준다.
나무 칼꽂이를 박예영의 시신 근처에 놔두는 방호복2.
모든 작업이 끝났다.
효준을 지나쳐 밖으로 나가는 방호복들.
덩그러니 혼자 남은 효준.
마음 다잡듯 깊이 심호흡하곤 방 안으로 걸음 옮긴다.
탁 닫히는 방문.

S#55   교도소 면회실 (낮)

정   (이미 알고 있는, 작게 읊조리며) ...피젯 스피너.

효준   (정 바라보고)

정   (차분한) 진범 얼굴은 못 봤고, 목소리는.

효준	중저음에 부드러운... 그런 목소리였어요.
	(문득 생각난) 근데 그런 말을 했었어요.
	오래 걸리지 않을 거다, 금방 나오게 해 주겠다고.
정	(보는)
효준	그걸 어떻게 믿냐 하니까 자긴 할 수 있다고,
	형 집행 정지든 뭐든 방법은 많으니까 걱정하지 말라고...
정	(잠시 있다가) ...오케이, 나중에 보자. (밖으로 나가는데)
효준	검사님.
정	(효준 보면)
효준	제 돈은 어떻게...?
정	세상에 공짜 없다. 앞으로 나한테 무조건 협조해.
	(걸음 옮기는, 결연한 표정에서)

S#56   교도소 복도 (낮)

효준을 수용실로 인도하는 교도관.
복도 으슥한 곳으로 걸음 옮겨
어딘가에 핸드폰 전화를 건다.

S#57   서현규 대표실 (낮)

소파에 앉아 핸드폰 통화 중인 지한.
소파 상석에는 현규가 앉아 있고.

지한	예. 또 연락 주세요. (핸드폰 내리는, 난감한) 아버지...

	진 검사가 김효준을 찾아왔대요.
현규	(짜증스레 한숨 내쉬고)
지한	어떻게 하죠? 진 검사한테 다 얘기한 거 같은데.
현규	진 검사가 소속이 어디랬지?
지한	(잘 생각 안 나는) 민원 뭐라 한 거 같은데?
현규	민원봉사실. (옅게 웃는) ...박재경.
지한	근데 아버지, 오도환 변호사 말이에요.
	갑자기 왜 받아 주신 건지...?
현규	왜? 별로야?
지한	아뇨 뭐 그런 건 아닌데... 그냥 궁금해서요.

미소로 지한에게 이리 오라 손짓하는 현규.
지한, 현규에게 가까이 다가가면,
현규 가볍게 찰싹 지한의 뺨을 때린다.
당황스레 웃으며 현규 보는 지한인데, 갑자기 짝!
세차게 지한의 뺨을 날리는 현규!

지한	!! (놀라 현규 보는) 아버지.
현규	(다시 이리 오라 손짓)
지한	왜, 왜 그러세요. 제가 뭘 잘못했다고...
현규	정말 몰라?
지한	(모른다, 당황스럽고)
현규	얘가 이럼 더 문젠데... (다시 이리 오라 손짓)
지한	(떨리는 얼굴로 가까이 다가가면)

다시 한번 짝! 지한의 뺨을 날리는 현규.

지한	(눈물 그렁그렁해 현규 보고)
현규	(지한의 머리 쓰다듬으며, 인자한)

자꾸 그렇게 흔적 남기면 지한아,

너 호적에서 판다?

지한	!! 아버지...!
현규	아빠 한다면 하는 사람이야. 그 전에 잘하자.

S#58 　로펌 강산 복도 [낮]

대표실 밖으로 나오는 지한.

손으로 피 묻은 입가를 훔쳐 낸다.

지한　오도환... 개새끼네...

서늘한 얼굴로 걸음 옮기는 지한.

S#59 　민원봉사 사무실 [밤]

아무도 없는 사무실 안.

MP3와 연결된 노트북,

폴더 안 음악들을 바라보며 있는 정.

가라앉은 얼굴로 잠시 있다가, **'취재'** 프로그램을 클릭한다.

비밀번호를 입력하라는 로그인 창이 뜬다.

작게 한숨 내쉬며 노트북을 덮는다.

비어 있는 박재경의 자리를 바라보는 정.

S#60   **박재경의 집 거실 (밤)**

식탁에 앉아 작은 가족사진 액자 바라보고 있는 박재경.
현관문 벨 소리가 울린다.

S#61   **박재경의 집 앞 (밤)**

현관문 여는 박재경. 그 앞, 정이 서 있다.
치킨과 맥주 들어 보이는 정.
잠시 정 바라보다가, 들어오라 몸 비켜 주는 박재경.

S#62   **박재경의 집 거실 (밤)**

식탁 위 놓인 치킨과 맥주. 마주 앉아 있는 정과 박재경.

박재경   차장님 죽인 놈 잡았다며.
정   (박재경 바라보는)
박재경   (자기 잔에 술 따르는) 고생했네.
         소원성취했으니까 물건 다시 갖고 와.
정   (품에서 MP3 꺼내 식탁 위에 올려놓는)
         안에 내용 확인해 봤어요.
         파일 하나가 있긴 한데 비번이 걸려 있더라고요.
         고중도 말론 장비 없인 못 푸는 거래요.

세 번 틀리면 내용 완전히 날아간다 그러고.

박재경   (정 보는)

정   실장님은 알고 계시죠. 거기 안에 뭐가 들었는지.

박재경   ...말했듯이 진 검사, 난 니가 나 같은 꼴 당하는 거...

        (하는데)

정   말해 줘요. ...아저씨.

박재경   (멈칫, 정 바라보고)

품에서 뭔가를 꺼내 식탁 위에 올려놓는 정.

박재경 보면, **'정의 수호의 검사'** 유희왕 카드다.

가라앉는 박재경의 표정.

그런 박재경을 차분히 바라보는 정.

S#63   **회상, 장례식장 복도 [밤]**

빈소에서 나와 걸음 옮기는 박재경. 그때,

어린 정(소리)   아저씨!

박재경 돌아보면, 어린 정이 뛰어오고 있다.

어린 정   (박재경에게 핸드폰 건네는) 이거 놓고 가셨어요.

박재경   고맙다.

어린 정   근데요 아저씨, 우리 엄마가 아저씨 검사래요.

주섬주섬 주머니에서 뭔가를 꺼내 보여 주는 어린 정.
박재경 보면, '**정의 수호의 검사**' 유희왕 카드다.
**카드 내용, '세상 모든 악의 무리와 맞서 싸우는
진정한 수호자'**

박재경	(카드 내용 읽는) 정의 수호의 검사.
어린 정	이거 아저씨 맞죠. 아저씬 왜 칼 안 들고 다녀요?
박재경	(은밀히) 사실 이건 비밀인데...
	아저씨 칼은 나쁜 놈한테만 써야 되거든.
	그래서 지금은 숨겨 놨어. 아무한테도 안 보이게.
어린 정	!! 광선검처럼요?
박재경	막 꺼내면 사람들 무서워하니까.
어린 정	(우와... 선망의 눈으로 박재경 보는) 나도 검사 될래요.
박재경	(웃으며 어린 정 머리 쓰다듬는)

S#64   **박재경의 집 거실 (밤)**

박재경	...알고 있었구나.
정	제가 검사 된다 했잖아요.

서로를 바라보는 정과 박재경.
두 사람의 모습에서...!!

- 9화 끝 -

episode 10

드러나는 서현규와 박재경의 악연,
'서초동 살인사건'의 진범 서지한을
검거한 정은 곧이어 MP3 파일의 비
밀번호를 푸는 데 성공한다.
파일을 확인하곤 충격에 빠진 정과
박재경. 그리고 그날 밤, 정에게 최
악의 사건이 터지고야 마는데...

S#1 　　　 **박재경의 집 거실 (밤)**

박재경 　　 …알고 있었구나.

정 　　　　 제가 검사 된다 했잖아요.

박재경 　　 왜 모른 척한 거야?

정 　　　　 아저씨도 저 모른 척했잖아요.

　　　　　 (피식 웃는) 제가 좀 부끄럼쟁이라.

박재경 　　 (피식 웃고)

정 　　　　 이거 찾고 있는 사람… 서현규죠? 로펌 강산 대표.

박재경 　　 (정 보는, 표정)

정 　　　　 (보다가, 고개 끄덕이는) 예상은 하고 있었어요.

　　　　　 서초동 사건부터 지금까지 일어난 일들…

　　　　　 강산 소속 칼잡이가 혼자 움직였을 리도 없고.

박재경 　　 (작게 한숨 내쉬는)

정 　　　　 말해 주세요. 아저씨가 알고 있는 거 전부 다.

박재경 　　 (주저하다가, 결국 결심한) 긴 얘기가 될 거야.

(맥주 따라 주려는데)

정　　　　맨정신에 듣겠습니다.

박재경　　(정 바라보는 데서)

S#2　　　**회상, 법원 (낮)**

법복을 입고 있는 과거의 박재경.
변호사석엔 현규,
피고인석엔 한 남자(40대 남)가 앉아 있다.

판사　　　피고인은 자사에서 만들어진 가습기 살균제 제품이
인체에 치명적인 부작용을 야기할 수 있다는 사실을
사전에 인지했음에도 불구하고
이를 조직적으로 은폐.
시중에 유통하여 다수의 생명을 위협하고
사망에 이르게 하였다.

판결을 예상한 듯 어두운 한숨 내쉬는 현규.
그런 현규를 노려보는 박재경.

판사　　　또한 이를 무마하기 위해 증거를 인멸하고,
사건 관련자에게 청탁과 협박을 일삼는 등
그 죄질이 매우 불량하다.
이에 본 법정은 피고인 조병수에게,
무기징역을 선고한다.

박수 치며 환호하는 방청객들.
산소마스크 낀 채 휠체어에 앉아 있는 피해자들은
서로 얼싸안으며 기쁨의 눈물 흘리고.
낙담한 얼굴로 서류를 챙기는 현규.
피고인에게 귓속말 후 법정을 나선다.
정의가 구현되었다 기뻐하는 사람들 사이,
홀로 현규를 노려보는 박재경.

S#3   **회상, 법원 복도 (낮)**

법원 중앙에 설치되어 있는 정의의 여신상.
그 옆을 스쳐 지나가는 현규. 그때,

박재경(소리) 서현규 씨.

현규 뒤돌아보면, 성큼성큼 걸어오고 있는 박재경.

박재경   (와락 현규의 멱살 잡는) 당신 지금 뭐 하는 짓이야.
현규   (당황스러운) 너야말로 뭐 하는 거야 이거 안 놔?
박재경   헛소리하지 마 내가 모를 줄 알아?
          방금 저 새끼 대타인 거 내가 모를 줄 아냐고!
현규   (당황스레 보다가, 서서히 웃음 짓는) 진짜와 가짜…
          크게 중요한 거 같진 않은데.
박재경   뭐?
현규   뭐 하러 힘들게 진실을 검증해?

	그렇다고 우리가 원하는 진실이 나오는 것도 아닌데.
박재경	(노려보는)
현규	어차피 이 나라엔
	진짜랑 가짜 구분하지 못하는 사람이 태반이야.
	난 의뢰인이 원하는 진실을 만들어 주고
	대가를 받은 것뿐이고.
	진실은 찾는 게 아니야. 만드는 거야 박 검사.
박재경	최소한의 양심도 없는 거냐?
현규	(비꼬듯 웃음 짓는) 우리 박 검사님 되게 순진한 분이네.
	무슨 변호사가 양심이야 돈 받고 일하는데.
박재경	(노려보는)
현규	변호사의 일이라는 건요 박 검사님.
	양심이나 정의 찾는 게 아니에요.
	의뢰인을 보호해 주는 거예요.
	그러라고 큰돈 받는 건데 그 와중에 양심까지 챙긴다?
	그거야말로 양심 없는 거 아닌가?
박재경	넌 내가 끝까지 파헤친다.
현규	사람들 많다. 놓자 이거.

현규 노려보며 멱살을 푸는 박재경.
걸음 옮기는 현규 분한 듯 노려보는 데서.

S#4   **회상, 중앙 지검 전경 (낮)**

이장원(소리)	어이 박재경이.

S#5   **회상, 이장원 부장검사실 (낮)**

책상 의자에 앉아 있는 이장원. 그 앞엔 박재경이 서 있고.

이장원   너 지금 제정신이야?

          왜 내 허락도 없이 강산을 파고 있어?!

박재경   (사건 서류 내미는) 삼 년 전 있었던

          대정 그룹 비자금 조성 및 분식 회계 사건,

          (사건 서류 내미는) 태성 자동차 급발진 사건,

          (사건 서류 내미는) 주정 건설 백화점 붕괴.

          그리고 이건... (하며 사건 서류 내밀려 하는데)

이장원   야 인마!

박재경   (보다가, 사건 서류 내미는) ...가장 최근 가습기 살균제 사건.

          전부 강산에서 맡은 사건들입니다.

이장원   대법원 판결 전부 유죄 확정 난 사건들이고.

박재경   확정이 나긴 났죠.

          사건 핵심 피의자들은 배때기에 기름칠하고 있고

          애꿎은 대타들만 콩밥 먹고 있단 게 문제지만.

이장원   (작게 한숨 내쉬곤) 그래 좋아, 니 말이 맞다 치자.

          뒷받침할 어떤 증거도 없지만 일단은 그렇다 치자고.

          재판까지 다 끝난 사건을 니가 뭘 어쩔 건데.

박재경   설계자부터 잡겠습니다.

          로펌 강산 서현규 대표, 정식으로 수사 배당 주십쇼.

이장원   (머리 아픈 듯 이마 문지르는)

          너 그 사람이 누군지나 알고 하는 소리냐?

그 사람 그냥 변호사 아니야.

대한민국 권력이란 권력은 전부 줄 대고 싶어

안달하는 사람이야.

청와대랑 정·재계 방구 좀 꼈다 하는 놈들 어떻게든

밥 한 끼 먹자 목매는 사람이라고

니가 파겠단 그 인사가.

박재경   말씀을 이해를 못 하겠네 나쁜 짓 했음 잡는 거지.

이런 놈 잡으라고 저희가 있는 거잖아요.

이장원   좀 있으면 대선이고 적어도 지금은 아냐.

엑셀에서 발 떼.

박재경   뭔 내가 내 할 일 하겠다는데 엑셀을 떼라 마라,

싫습니다.

서랍에서 서류철 하나를 꺼내는 이장원.

책상 위에 툭 던지듯 올려놓는다.

박재경 뭔가 싶어 서류철 열어 보면,

서류 제목, **'민원봉사실 설립 제안서.'**

이장원   민원봉사실이란 데를 만들었어.

검사란 직함만 있을 뿐

일다운 일은 하나도 할 수 없는 곳.

박재경   (서류 넘겨 보다가) 유배지 정도가 아니네.

(이장원 보는) 폐기실이네. 불량품 폐기실.

이장원   우리 형사부에도 한 명 있지 아마?

불량품이라 불리는 검사가.

박재경	(보는)
이장원	여긴 조직이야.
	니가 계속 이럼 난 널 그리로 보낼 수밖에 없어.
박재경	알겠습니다. 보내세요 그럼.
이장원	야 박재경.
박재경	대신 서현규 잡고 나서.
	가 보겠습니다. (꾸벅 인사 후 밖으로 나가는)

S#6   회상, 식당 (밤)

마주 앉아 밥을 먹고 있는 박재경과 김태호.

김태호	부장님이랑 한판 했다며.
박재경	소문이 벌써 났냐?
김태호	니 캐릭터 모르는 건 아닌데
	가끔 위에 눈치도 좀 보고 그래.
	너도 간부 자린 앉아 봐야 될 거 아냐.
박재경	충청도 삽교 촌놈이
	사시 합격하고 검사 임명장까지 받았어.
	출세고 뭐고 여기서 더 바라면 양심 없는 거다.
김태호	잘났다. 걱정해 주는 보람이 없어요 걱정해 주는 보람이.
박재경	(고마운 미소로 밥 먹고)
김태호	(밥 먹으며 넌지시) 수사는 계속할 거지?
박재경	연수원 기수고 나발이고 예외 없다.
	나쁜 놈은 잡는 거야.

김태호	(슬쩍 박재경 보는) 진행은? 나온 거라도 있어?
박재경	갑자기 그건 왜?
김태호	(뜨끔하지만) 그냥 궁금해서.
	그래도 우리보다 선배잖아.
박재경	됐으니까 관심 꺼.
	괜히 너까지 세트로 불량품 되지 말고.
김태호	불량품?
박재경	그런 게 있다. 하여튼 넌 끼지 마.
	(핸드폰 진동 울린다, 받는) 예 기자님.
김태호	(기자? 표정)
박재경	여보세요? … 예 말씀하세요.
	(듣다가, 표정 심각해지는) 서현규가요?
김태호	(박재경 보는)
박재경	예 예, 예 잠시만요.
	(태호에게) 먼저 일어난다. (하고 밖으로 나가는)
김태호	(나가는 박재경 바라보는, 초조한 표정)

S#7   **박재경의 집 거실 (밤)**

마주 앉아 있는 정과 박재경.

박재경	전해 줄 게 있다 했어.
	서현규를 무너뜨릴 수 있는… 증거를 잡았다고.
정	(식탁 위 MP3 바라보는)
박재경	근데 그때 당시엔 받지를 못했어.

기자한테 사고가 있었거든.

정　　　　(기자가 누군지 알겠다, 표정)

박재경　　그리고 난 없어진 줄 알았던 이걸 차장님한테 전해 받았고.

　　　　　그 양반 죽기 하루 전날.

정　　　　차장님이 어떻게 갖고 있었는지는...

박재경　　글쎄... 김태호라면 알고 있을지도.

정　　　　(잠시 있다가) 아저씨한테 전화했다는 그 기자.

박재경　　(차분히 정 보는)

정　　　　그 사람... 혹시 제가 아는...

　　　　　하는 그때, 갑자기 울리는 현관문 벨 소리.

　　　　　이 시간에 누구지? 현관문 바라보는 박재경.

S#8　　　**박재경의 집 앞 (밤)**

　　　　　현관문을 여는 박재경.

　　　　　앞에 서 있는 사람을 보곤 멈칫 표정 굳는다.

S#9　　　**박재경의 집 거실 (밤)**

　　　　　거실로 들어오는 박재경.

정　　　　(자리에서 일어서는) 손님 오셨어요? 그럼 전 나중에...

　　　　　하다가 멈칫,

박재경의 뒤를 따라 들어오는 한 사람을 보곤
표정 얼어붙는 정.
다름 아닌 현규다...!

현규   또 뵙네요? 진 검사님.

사람 좋은 미소로 정을 바라보는 현규.
그런 현규 노려보는 정의 모습에서.

진검승부

S#10   **박재경의 집 거실 (밤)**

식탁에 앉아 있는 정과 박재경, 현규.

현규   (집 안 둘러보며) 한번 온다 온다 해 놓고 이제야 찾아왔네.
정   (현규 노려보고)
현규   누가 갖고 있어? 내가 찾는 물건.

품에서 MP3 꺼내 보여 주는 정.
눈빛 날카로워지며 MP3 바라보는 현규.
그러자 정,
보란 듯 다시 품에 넣는다.

현규	(웃음) 어쩐다...? 어차피 쓸모없는 물건 아니에요?
	암호 아직 못 푸셨잖아.
박재경	(표정)
현규	주세요 검사님. 특별히 부탁드릴게.
정	서 대표님 똥줄이 많이 타긴 하나 보네?
	그 쓸모없는 물건 찾으러 여까지 행차하신 거 보면.
현규	(여유 있게 정 보다가, 식탁 위 작은 가족사진 액자 보는)
	서른 살쯤 됐겠다. 준수가 살아 있었으면.
박재경	!!
정	(일어나 현규에게 주먹 날리려 하는데)
박재경	진 검사!
정	(멈칫, 현규 노려보며 자리에 앉는)
박재경	술맛 떨어진다. 쓸데없는 소리 하지 말고 가라.
현규	진 검사님, 잠깐 자리 좀...?
정	(현규 노려보는)
현규	말을 잘 안 들으시는 분이네.
	어머니가 속 좀 끓었겠다.
박재경	!!
정	(엄마? 설마 싶어 현규 보면)
현규	어머니 연락은 자주 드려요?
정	!!

재빨리 밖으로 튀어 나가는 정.

S#11 **정의 모 가게 앞 (밤)**

가게 문을 닫는 정의 모.
가방에 핸드폰 넣고 걸음 옮기기 시작한다.

S#12   **정의 차 안 (밤)**

빠른 속도로 도로를 달리고 있는 정의 차.
엄마에게 핸드폰 전화 걸며 운전 중인 정.
"고객님이 전화를 받을 수 없어..."
초조한 정의 표정.

S#13   **거리 (밤)**

횡단보도 앞에 서 있는 정의 모.
가방 안에선 핸드폰 진동이 울리고 있고.
신호등이 녹색으로 바뀐다.
정의 모 횡단보도를 건너다 멈칫,
이제야 전화가 왔다는 걸 깨닫곤
가방에서 핸드폰을 꺼낸다.
'사랑하는 아들'에게 온 전화.
전화 받으려 하는 그때,
갑자기 울리는 트럭 클랙슨 소리! 빠아아앙!
정의 모 고개 돌려 보면,
트럭 한 대가 자신에게 달려오고 있다...!
얼어붙어 움직이지 못하는 정의 모.
뒤늦게 달려와 그 모습 바라보는 정.

정	!! 엄마!!

엄마에게 달려가는 정.
하지만 사고를 막기엔 너무 늦은 상황!
그때,
갑자기 방향을 틀어 정의 모를 스쳐 지나가는 트럭...!
놀라 바닥에 넘어지는 정의 모.

정	(엄마에게 다가가) 엄마 괜찮아?!
정의 모	저 쌍노무 시키 무슨 운전을 저따위로!
	(하다가, 고통에 신음하는)

정, 엄마 발목 보면,
새빨갛게 부어올라 있는 엄마의 발목.

S#14   박재경의 집 거실 (밤)

현규	인사만 하라 했어. 박 검사랑 나 옛정 생각해서.
박재경	적당히 해. 내가 당신 이 자리에서 죽일 수도 있어.
현규	그럼 진작 했겠지.
	처자식 잃었을 때, 검사님이 그럴 수 있는 놈이었으면.
박재경	(노려보는)
현규	(작게 한숨 내쉬곤, 안타까운) ...다 잊고 살면 안 되겠냐?
박재경	(꿈틀) 뭐?
현규	나한테 되갚아 주고 싶어 하는 마음은 알아.

근데 박 검사, 복수한다고 가족들 돌아오는 거 아니잖아.

용서하자. 용서하고 다 잊고 살자 우리.

박재경   (당신이 어떻게 그런 말을... 현규 바라보고)

현규   물건은 갖고 와라 진 검사한테 얘기해 줘.

검사님 겪은 일 그 친구도 겪을 필욘 없잖아.

박재경   (보다가) 가라. 부탁이다 제발.

현규   ...그래. 아쉽네 더 얘기하고 싶었는데. (일어서 나가는데)

박재경   왜 그랬냐.

현규   (박재경 보는)

박재경   김태호가 해 준 경고 무시하고 당신 수사한 거,

잘못했다고 빌었잖아.

◀   **플래시백**

3화 65씬

박재경   (무릎 꿇고 싹싹 비는) 태호야 미안하다,

내가 니 말 들었어야 했는데, 내가 정말 죽을 죄를 졌다.

한번만, 한번만 용서해 주라.

7화 66씬

김태호   그때 니 가족 일은... 유감스럽게 생각한다.

박재경   !! (확 김태호 멱살 잡고 노려보는)

김태호   그러게 왜 그랬냐. 내가 서현규 건들지 말라 했잖아.

박재경   수사도 접고 하라는 대로 다 했잖아.

근데 왜 우리 가족... 왜 그랬냐.

현규	(생각하는) 음... (미소로 박재경 보는) 모르겠는데.
박재경	...!!
현규	그래도 굳이 얘길 하자면...
	선례가 필요했으니까? (걸음 옮기는데)
박재경	고맙다. (살기와 눈물 섞인 채 현규 보는)
	나 이제 당신 죽일 수 있을 거 같애.
현규	(보는)
박재경	내가 너 잡는다.
	너 잡아서 니가 무슨 짓을 했는지 전부 밝힌 다음에...
	내가 너 사형 구형한다.
현규	(보다가) 기대할게. (밖으로 나가는)

혼자 남은 박재경. 결연하고도 살기 어린 표정에서.

S#15   **병원 정의 모 입원실 (밤)**

발목에 깁스를 한 채 침대에 앉아 있는 정의 모.
침대 옆에 서 있는 정. 걱정스레 엄마 바라보고.

정의 모	괜찮다니까 뭘 입원까지.
정	인대 늘어나고 금까지 갔대.
	하나도 안 괜찮으니까 그냥 입원해.
정의 모	집에서 통원 치료하면 된다니까. 내일 단체 예약 있단 말야.
정	안 돼. 무조건 쉬고 절대 안정.
정의 모	(어쩔 수 없다는 듯 털썩 침대에 눕는)

정	이참에 건강검진도 받고 며칠 가게도 좀 쉬어.
	오래 살아야 아들 장가가는 것도 볼 거 아냐.
	(엄마 이불 덮어 주는) 나 고아 되기 싫어.
	같이 오래 삽시다 임 여사.
정의 모	(흥!) 22세기까지 살 거거든?
정	(픽 웃는) 갈게. 몸조리 잘하고 있어.

미소로 엄마 바라보다 뒤도는 정.
분노로 이 악문 채 밖으로 나가는 데서.

S#16   검찰청 복도, 정의 차 안 교차 (밤)

핸드폰 통화하며 사무실 밖으로 나오는 아라.

아라	(놀란) 서현규? 그 로펌 강산 대표?

빠르게 도로를 달리고 있는 정의 차.
핸드폰 통화하며 운전 중인 정.

아라(소리)	어머닌? 어머닌 괜찮아?
정	다행히 괜찮아요.
	(핸들 꾹 쥐는) 내가 안 괜찮다는 게 문제지.

다른 차를 추월해 나가는 정의 차.
추월당한 차 빠아앙 클랙슨을 울리고.

아라	(클랙슨 소리 듣곤) 어디야 지금?
정	오도환 만나러 가는 길입니다. 블랙박스 확보해야죠.
아라	...!!
정	서초동 살인사건은 MP3 때문에 일어났어요.
	진범이 누구든 그놈 또한 서현규와 관련 있단 뜻이에요.
아라	진범부터 잡겠다. 서현규까지 올라가기 위해.
정	제 손으로 다 잡아 처넣을 겁니다.
	서현규 사람 잘못 건드렸어요.
아라	니 맘은 알겠는데 우리 좀만 침착하자.
	아무리 그래도 대책 없이 찾아 간다는 건... (하는데)

핸드폰 끊는 정.
꾸욱 엑셀을 밟는다. 빠르게 치고 나가는 정의 차.

S#17   로펌 강산 대회의실 (밤)

파트너 변호사들과 회의를 하고 있는 지한과 도환.

변호사1	(서류 보는) 다음은 케이코랩스 국세청 세금 추징 건입니다.
지한	북부 지검 합수단에서 수사 착수 중인 건이네요?
	(앉아 있는 변호사 보는) 이 변호사님 어떠세요?
	검사장 출신이겠다 합수단에 아시는 분 많을 거 같은데.
도환	이번 건은 패스하는 게 좋을 거 같습니다.
지한	(도환 노려보는) 뭐요?
도환	케이코랩스 가상 화폐 폭락 사태는

일주일 새 약 58조 원의 자산이 증발,
국내 피해자만 20만 명 이상을 만든
거대한 폰지 사기극입니다.
연이율 20프로의 고수익을 보장한단 과대광고로
투자자를 유치,
수천억의 투자금으로 돌려막기 수법을 벌인... (하는데)

지한　　저기요 오 변호사님. 여기 지검 아니에요
　　　　정신 좀 차리지?

자리에서 일어서는 도환.
일일이 변호사들과 지한에게 서류 나눠 주며,

도환　　북부 지검 합수단 현재 동향 및 첩보 보고서입니다.
변호사들　(관심 있게 서류 보는)
지한　　(도환 노려보고)
도환　　야심 차게 출범한 금융 증권 범죄 합동 수사단.
　　　　하지만 그 출발이 무색하게 현재까지
　　　　뚜렷한 성과는 없다는 게 세간의 중론입니다.
변호사2　합수단에서 이번 건을 갖고 이를 꽤 갈고 있겠군요.
도환　　정확하십니다.
　　　　자료 마지막 페이지를 보시면 아시겠지만
　　　　현재 합수단은 회사 임직원의 수십억 횡령 혐의까지
　　　　추가 내사 중입니다.
변호사들　(도환 보고)
도환　　이런 상황에서 굳이 저희가 정권과 척을 지면서까지

의뢰인을 보호한다?

물론 저희 강산의 인맥과 자금,

여기 계신 변호사분들의 능력을 못 믿는 건 아닙니다만...

자칫 잘못하면 승자의 저주에 빠질 우려 또한 존재한다는 것,

참고해 주셨으면 합니다.

변호사들을 보는 지한.

도환을 향해 고개 끄덕이고 서로 이야기 나누는 등

모두가 도환에게 동조하는 분위기다.

고깝게 도환 바라보는 지한의 표정에서.

S#18   **로펌 강산 지하 주차장 (밤)**

자신의 차를 향해 걸음 옮기는 도환.

지한(소리)   오 변호사님.

도환 뒤돌아보면, 지한이 걸어오고 있다.

지한   뭐 하는 거예요?
도환   무슨 말씀이신지?
지한   방금 말이에요.
          미리 정보 공유도 안 해 주고 일부러 나 엿 먹인 거?
도환   (미소로) 죄송합니다.
          앞으론 주의하겠습니다. (꾸벅 인사 후 걸음 옮기는데)

지한	야.
도환	(멈칫, 지한 보는)
지한	새끼가 웃고 자빠졌네?
	너 나 가지고 우리 아버지한테 딜 쳤다며.
도환	(보는)
지한	낙하산 한번 참 더럽게 핀다.
	(비웃음, 흘리듯) 태생이 천해 그런가?
도환	!!
지한	(놀리듯) 고생 많이 했겠더라 그런 좀...
	(뭐라 말해야 되지?) 엄마 같지 않은 엄마 밑에서.
	무덤은 찾아가요?
도환	그만하시죠.
지한	내가 봤을 땐 변호사님 엄마 닮았어.
	엄마도 그랬다며 남자들한테 이리 붙었다 저리 붙었다
	변호사님 막 때려가면서... (하는데)
도환	(와락 지한의 멱살 잡는) 그만하라고.
지한	그만해야 될 건 너 같은데. (천정 한쪽 카메라 가리키는)
도환	(지한 노려보다가, 어쩔 수 없이 멱살 놓는)
지한	너랑 나 차이가 뭔지 아냐?

퍽! 도환의 배를 세차게 갈기는 지한.

도환	!! (순간적인 고통에 무릎 꿇고)
지한	난 이래도 된다는 거.
도환	(힘겹게 지한 노려보고)

지한   (쭈그려 앉아, 도환의 머리 툭툭 때리며)

야, 내가 귓방맹이를 맞았어

너 때문에. 무슨 말인지 알아?

(점점 감정 격해지는) 너 같은 천한 새끼 땜에 내가,

술집 작부년 아들 땜에 내가 아버지한테 맞았다고 새끼야!

도환을 향해 확 손을 치켜드는 지한.

순간 지한의 팔목 잡는 누군가,

지한 뒤돌아보면, 정이다.

지한   (일어서는) 검사님이 여긴 어쩐 일로?

정   (도환 보는) 할 얘기가 있어서.

(지한에게) 자리 비켜 주시죠.

아님 지금 저랑 같이 검찰 들어가시던가.

정을 노려보는 지한. 그런 지한의 시선 맞받는 정.

그 사이 도환은 힘겹게 몸 일으키고.

신경질적으로 팔목 뿌리치는 지한.

옷매무새 가다듬곤 걸음 옮긴다.

정   (지한 뒷모습 노려보다가, 도환에게) 괜찮냐?

도환   용건이나 말해.

정   (도환 바라보는 데서)

S#19   건물 옥상 [밤]

어느 건물 옥상.

야경을 바라보며 서 있는 정과 도환.

도환   메모리 카드?

정   너한테 있는 거 알고 왔다. 쉽게 쉽게 가자.

도환   갑자기 그건 왜?

정   잡으려고. 다른 이유 필요한가?

도환   (표정)

정   증거 인멸 혐의로 너 잡아넣을 수도 있어 오도환.

             그 전에 갖고 와.

도환   (잠시 생각하다가, 결심했다) 그렇게 필요하시다면.

품에서 명함 케이스를 꺼내는 도환.

그 안, 메모리 카드가 들어 있다.

정에게 메모리 카드를 넘기는 도환.

도환   보면 꽤 재밌을 거야. 단서가 잘 찍혔어.

정   (순순히 넘기는 도환이 되려 이상한, 표정)

도환   왜? 내가 너무 쉽게 넘겨줘?

정   (보는)

도환   단순해 어렵게 생각하지 마.

             나한텐 이제 필요가 없고, 너한텐 이제부터 필요하고.

정   개소리 말고 진짜 이유 말해.

도환   ...선을 넘었으니까?

정   (도환 보는, 표정)

도환   내가 해 줄 수 있는 건 여기까지야.
나머진 니가 잘해 봐.

뒤돌아 걸음 옮기는 도환.
그런 도환을 바라보는 정.

S#20   아라의 사무실 [낮]

노트북으로
유진철의 블랙박스 영상을 보고 있는 정과 아라,
영상, 유진철의 차를 스쳐 박예영의 집을 향해
걸어가는 남자(지한)의 뒷모습.
한 손으론 특이한 모양의 피젯 스피너를 돌리고 있다.

아라   김효준 진술이랑 정확히 일치해.
사건 당일 날 피해자 집 방문한 사람은
차장님이랑 이 사람뿐이고.

영상 속 남자(지한)가 들고 있는
피젯 스피너를 보는 정.

아라   (노트북 보며 생각에 잠기는) 오도환은 왜 이걸
순순히 넘겨준 걸까?
절대 목적 없이 움직이는 놈 아닌데.

정   (생각에 잠기는)

◀ 플래시백

10화 18씬 연결

픽! 도환의 배를 세차게 갈기는 지한.

도환   !! (순간적인 고통에 무릎 꿇고)

지한   난 이래도 된다는 거.

그리고 지하 주차장 일각, 두 사람 바라보며 서 있는 정.

정   ... 범인을 잡으면 알겠죠.

아라   짚이는 거라도 있어?

◀ 플래시백

10화 19씬

도환   ... 선을 넘었으니까?

정   (핸드폰 전화 거는)

철기(소리)   예 검사님.

정   로펌 강산 서지한 변호사.

아라   !! (놀라 정 보는)

정   신원이랑 신상 탈곡기 돌려. 최대한 빨리.

S#21   **스쿼시 센터 (밤)**

스쿼시를 치고 있는 지한.

일각에 숨어 그 모습 엿보고 있는 중도와 은지.

중도	사물함 번호 확인했지?
은지	(끄덕이는)

걸음 옮기는 중도와 은지.

S#22   **스쿼시 센터 복도 (밤)**

탈의실 앞.
귀에 무선 이어폰 낀 채 주변 망보듯 서 있는 은지.

S#23   **스쿼시 센터 탈의실, 스쿼시 센터 복도 교차 (밤)**

귀에 무선 이어폰 낀 채 지한의 사물함 앞에 서는 중도.
품에서 클립 두 개를 꺼내 열쇠 구멍에 집어넣곤
돌리기 시작한다.

중도	(초조한 얼굴로 궁시렁) 아오 내가 이걸 왜 내가 진짜,
	이건 또 왜 이렇게 안 돼...!
은지	내가 할까?
중도	여기 남자 탈의실이거든?
은지	빨리 해. 시간 없어.
중도	있어 봐 원래 이런 게 보채면 더 안 되는... (하는데)
은지	(복도 한쪽 보곤, 차분한) 떴다.
	복도 멀리서 걸어오는 한 사람,
	지한이다...!

중도	!!
은지	(난감한) 어떡해?
중도	어떡하긴 뭘 어떡해 막아야지! 시간 끌어! 막아!
은지	(잠시 생각하다가) 어떻게?
중도	와 나 애 돌아버리겠네, 아무 거나 해 봐 어 그래 미인계! 들이대, 들이대!

은지 복도 보면, 어느새 지척까지 와 있는 지한…!
쓱 지한의 앞을 가로막듯 서는 은지.
지한이 옆으로 지나가려 하면 그 앞을 막고,
다른 쪽으로 지나가려 하면 다시 그 앞을 막는다.
이상하게 은지를 바라보는 지한.
그 사이 중도는 미친 속도로 클립 돌리고…

지한	뭡니까?
은지	(지한 보며 어떡하지 갈등하다가, 결국) … 미안. (휙 뒤돌아 복도 걸어 나가고)
지한	(이상하게 은지 바라보다가, 탈의실 향해 걸음 옮기는)

여전히 사물함 열쇠 구멍 돌리고 있는 중도.
문득 탈의실 한쪽 거울 보면, 입구,
지한이 들어오고 있다!
!! 대경실색하는 중도. 그 순간 딸깍 열리는 사물함.
재빨리 지한의 양복 바지와 재킷을 뒤지는 중도.

재킷 안주머니에서 뭔가 손에 잡힌다.
꺼내 보면, 피젯 스피너다.
핸드폰으로 피젯 스피너를 사진 찍는 중도.
물건 재킷 안에 다시 집어넣으며 거울 보면,
어느새 모퉁이까지 접근해 온 지한...!
꼼짝없이 들킬 위기의 순간,
갑자기 울리는 건물 내 화재경보. 따르르릉!!

+   인서트
건물 복도. 화재경보 스위치를 누르고 있는 은지.

무슨 일인가 싶어 멈칫하는 지한.
그 사이 사물함 원상 복구 시키는 중도.
얼굴 가린 채 지한의 옆 스쳐 지나가는 데서.

S#24   **민원봉사 사무실 (밤)**

블랙박스 메모리 카드 영상을 보고 있는 정.
정지 상태의 화면,
특이한 모양의 피젯 스피너가 보인다.
잠시 후 문자 알림 진동 울리는 정의 핸드폰.
정 보면,
중도가 찍어 보낸 피젯 스피너 사진이 도착해 있고.
영장과 사진 비교해 보는 정.
똑같다. 서늘해지는 정의 표정에서.

S#25   아라의 차 안 (밤)

도로를 달리는 아라의 차.
운전 중인 철기.
조수석에 아라는
'서초동 박예영 폭행 및 살인사건' 서류를 보고 있다.
흉기로 쓰인 나무 칼꽂이 사진을 보는 아라. 그 위로

정(소리)   칼꽂이로 사람 머리를 내리쳐 죽인다.

S#26   회상, 민원봉사 사무실 (밤)

서초동 살인사건 자료들이 붙어 있는 화이트보드.
지한의 사진과 박예영의 머리 부분 상처 사진도
함께 붙어 있다.
보드 앞에 서 있는 정.
그 앞엔 아라와 철기, 중도와 은지 앉아 있고.

정   한 번으로 끝내기 절대 쉬운 일 아니야.
       (서류 들어 보이는) 소견서에도 나왔지만 놈은 피해자를
       적어도 수차례 그 이상 내리쳤어. 피해자 사망 이후에도.

       정을 바라보는 네 사람. 각각의 표정.

정   살해 과정에서 분명 놈도 손에 부상을 입었을 거야.

사건 당일 응급실 환자 체크해.
현장에서 반경 5km 병원 전부.

S#27   몽타주

/ 병원 건물 앞 (밤)
차에서 내리는 아라와 철기.
병원 안으로 들어가는 두 사람.

정(소리)   손 부상 관련 환자 리스트는 전부 긁어모아.
              그중에 분명 서지한이 있을 거야.

/ 병원 원무과 (밤)

원무과 간호사에게 영장을 내미는 아라.
그 옆엔 철기가 서 있고.

아라   중앙 지검 신아라 검사입니다.
              사건 수사 관련해 협조 부탁드립니다.

/ 병원2 원무과 (밤)

원무과 앞 의자에 앉아 있는 중도와 은지.
잠시 후, 민구가 데스크 앞을 지나간다.
은지, 민구에게 고개 끄덕이면,

갑자기 픽 바닥에 쓰러지는 민구.

간호사1   (데스크에서 나와) 어머 괜찮으세요?
민구   (머리에 손 얹고, 다소곳한) 죄송해요 제가 빈혈이 있어서.
간호사1   일어나실 수 있겠어요? (민구 부축해 걸음 옮기는)

그 모습 보며 민구에게 엄지 척! 날리는 은지.
중도는 그사이 데스크 안쪽으로 들어가 키보드 두드리고.

S#28   **아라의 사무실 (밤)**

여러 장의 응급실 환자 리스트들을
각각 살펴보고 있는 정과 아라.
아라, 환자들의 정보를 훑다가 멈칫,
'서지한' 이름을 확인한다.

아라   진정. (정에게 리스트에 적힌 이름 **'서지한'** 보여 주는)
정   (서류 보다가, 아라 바라보는)

S#29   **병원 보안실 (밤)**

보안직원과 함께
응급실 CCTV를 확인하고 있는 정과 아라.
CCTV 화면, 응급실 안 모습이 잠시 보이다가...
지한이 안으로 들어온다.

정   (보안직원에게) 잠시만요.

영상을 스톱시키는 보안직원.

지긋이 영상 속 지한을 바라보는 정.

◀   **플래시백**

10화 20씬

블랙박스 영상, 유진철의 차를 스쳐

박예영의 집 향해 걸어가는 남자(지한)의 뒷모습.

정   같은 옷이에요. 블랙박스에 찍힌 영상이랑.

아라   이게 다 우연이면... 이 일 못하지.

(정리하듯) 서지한 체포 영장 청구할게.

정   잡았다 이 새끼. (영상 속 지한 바라보는 데서)

S#30   **도환의 사무실 (밤)**

도환에게 뭔가를 보고하는 강 수사관.

자리에 앉아 있던 도환. 고개 끄덕이며 옅게 미소 짓고.

S#31   **서현규 대표실 (밤)**

자리에 앉아 있는 현규.

현규   검사님이 재롱을 피우네.

(가소롭다는 듯 웃으며 핸드폰 전화 거는, 상대방 받으면)

여보세요? 예 접니다 서 대표.

　　　　　한강 변 벤치 (낮)

가라앉은 얼굴로 MP3 안 음악을 듣고 있는 정.

어린 정(소리)　어우 지겨워!

정 고개 돌려 보면, 옆 벤치에 앉아 있는 두 사람,
어린 정과 정의 부다.

어린 정　(아버지와 한 쪽씩 끼고 있던 이어폰 벗으며) 맨날 똑같은 노래!
　　　　다른 것 좀 들으면 안 돼?
정의 부　자식이 음악 들을 줄을 모르네.
　　　　가사를 들어 봐 얼마나 마음을 울리냐.
어린 정　(뚱한) 난 만화 노래가 더 좋은데.
　　　　여기 노래 많이 들어간다며
　　　　내가 좋아하는 노래도 넣어 주면 안 돼?

아버지가 들고 있는 MP3를 보는 어른 정.
지금 자기가 들고 있는 MP3와 똑같은 MP3다.

정의 부　안 돼. 아빠 거야.
어린 정　와 아빠 완전 치사.
정의 부　음... 좋아 그럼 이렇게 하자.

209

이번에 정이 받아쓰기 1등 하면...

하는 그때, 문자 알림 울리는 정의 부 핸드폰.
정의 부 보면, 엄마에게 온 문자다. **'어디야.'**

정의 모(소리)   (서늘한) 어디야.

정의 부   (놀라 벌떡 일어나는) 엄마한테 문자 왔다. 화난 거 같은데?

어린 정   !! 엄마 화나면 킹콩 되는데?

정의 부   엄마 킹콩 되기 전에 빨리 가자.

세워 뒀던 바이크에 올라타는 아빠와 아들.
출발하는 바이크 미소로 바라보는 어른 정.

(경과)
귀에 꽂고 있던 이어폰을 빼는 정.
잠시 후 박재경이 옆에 와 앉는다.
말없이 한강 바라보는 두 사람.

정   ...아버지랑 자주 왔던 데예요.
      엄마 일 도와주기 싫어 맨날 농땡이 피러.

박재경   (미소로) 어머니 고생 많으셨겠네.

정   (미소로 잠시 있다가) ...아저씨.

박재경   (한강 바라보고)

정   저번에 말씀하신 기자, 이 물건 주인... 저희 아버지죠?

박재경   (씁쓸한 표정에서)

S#33	회상, 식당, 거리 골목 교차 (밤)

6씬 연결
핸드폰 진동이 울린다. 전화 받는 박재경.

박재경	예 기자님.
김태호	(기자? 표정)

으슥한 거리 골목.
빠르게 걸음 옮기며 핸드폰 통화 중인 한 남자.

박재경(소리)	여보세요?
정의 부	접니다 검사님.

뒤돌아 주변을 살피는 남자.
이제야 드러나는 남자의 얼굴, 정의 부다...!

S#34	한강 변 벤치 (낮)

정	처음에는 설마 싶었어요. 그러다 아저씨한테 얘기 듣고...
	그제서야 선명해지더라고요.
박재경	(정 보는)
정	혹시 우리 아버지 사고도... (하는데)
박재경	단순 교통사고. 전부 알아봤어. (눈치 살피듯 정 보고)
정	(복잡한 얼굴로 한강 바라보는)

박재경	(걱정스레 정 보다가) ... 정아, 너 이제 그만해라.
정	또 그러신다.
박재경	나 같은 일 겪을 수도 있어 그래.
	...그거 평생 안 잊혀진다.
정	(한강 바라보고)
박재경	너 나한테 목숨 빚졌잖아.
	갚는 셈 치고 빠지면 안 되겠냐?
	(정리하듯) 니 어머니 일 다음엔 경고로 안 끝나.
	내 말 안 들을 생각 하지 말고...

하며 정 보면, 어느새 이어폰 꽂고
MP3 음악 듣고 있는 정...

박재경	(어이없이 보다가) 개가 짖는구나 개가 짖어.
정	(이어폰 빼며) 예?
박재경	아니야. 내가 잘못했다.
정	(웃는) 아저씨 선택은 둘 중 하나예요.
	저랑 같이 하거나 저한테 전부 맡기거나.
	그리고 저 아무도 안 잃을 겁니다. 그 전에 잡을 거거든.
박재경	니 아버지가 나한테 그런 말을 한 적이 있어.
	아들놈이 하나 있는데 말을 너무 안 들어 처먹는다고.
	(웃으며 정 보는) 이제야 이해가 간다.
정	칭찬으로 듣겠습니다.

한강 바라보는 정과 박재경. 앉아 있는 두 사람의 모습에서.

S#35   **아라의 사무실 (낮)**

아라   (놀라 자리에서 벌떡 일어나는) 예?!
박 수사관   (서류 읽는, 난처한) 수집된 증거 자료의 내용과
            증거 수집 현황 등 기록을 보면
            검찰이 청구한 체포 영장 발부에 대한 사유와
            필요성을 인정하기엔 사실적 근거가 부족하다...
            라고 쓰여 있습니다.
아라   개소리를 진짜... 영장 판사 누구예요?
박 수사관   이동재 판사입니다. 서현규 대표 고향 후배...
아라   (허! 기가 찬 표정에서)

S#36   **법원 앞 (낮)**

            끼익 급하게 멈추는 정의 차.
            차에서 내리는 정.
            잔뜩 열받은 얼굴로 법원 향해 걸음 옮기고.

S#37   **영장판사실 (낮)**

            쾅! 문을 박차고 안으로 들어오는 정.

정   대체 영장을 왜 못 내준다는...!

            하다가 멈칫, 소파 상석에 앉아 있는 누군가를 보곤

표정 얼어붙는 정.

여유 있게 차를 마시고 있는 누군가, 현규다.

미소로 정을 바라보는 현규.

정 고개 돌려 보면, 소파 손님 자리,

판사(50대 남)가 앉아 있다.

정   (냉소로 비꼬는) 풍년이네. 아주 그냥 지랄들이 풍년입니다.

판사   이봐 진 검사! 버릇없이 무슨 말버릇이야?

정   웃기지도 않은 소리 됐고,

            이거였습니까? 영장 기각 사유가?

현규   (찻잔 내려놓곤, 판사에게) 언제 식사나 같이해. (일어서는)

판사   조심히 들어가십쇼. (일어서 꾸벅 인사하는)

정   (그 모습 기가 차 바라보고)

정을 지나쳐 밖으로 걸음 옮기는 현규.

민망한 듯 헛기침하는 판사.

그런 판사 노려보다 밖으로 나가는 정.

S#38   **법원 복도 [낮]**

정의의 여신상을 스쳐 지나가는 현규.

그 앞을 가로막는 정.

정   보내주신 선물은 잘 받았습니다.

현규   (웃음) 아 다행이네요.

어머니가 마음에 들어 하셨는진...?

정　　　조만간 답례 드리겠습니다.

　　　　제가 빚지곤 못 사는 성격이라.

현규　　그래요. 그럼 전 이만... (정 지나쳐 가려 하는데)

정　　　(현규 어깨 잡으며 막는) 말 아직 안 끝났어.

현규　　(정이 올린 손 보다가, 서늘히 정 보면)

정　　　약속할게. 넌 내가 무조건 처넣는다.

현규　　영장 하나 발부 못 받으면서?

정　　　(현규 노려보는)

현규　　(정의 손 내리며) 제가 충고 하나 할게요 진 검사님.

　　　　제가 정말 검사님 막겠다 마음먹잖아요?

　　　　너 진짜 죽어.

정　　　(보는)

현규　　(정의의 여신상 보는) 이상하죠? 다른 나라는 안 그런데

　　　　유독 우리나라만 여신상이 눈을 가리고 있단 말야?

　　　　왜 그런 줄 알아요? 사람 봐 가면서 판결하라고.

정　　　(바라보고)

현규　　(여신상이 밟고 있는 책 가리키는) 저 책, 저건 뭔지 알아요?

　　　　사람들은 법전이라 알고 있는데 아니에요.

　　　　힘 있는 사람들 명단이에요.

정　　　(피식 냉소하는) 재밌네. 명단에 당신 이름은 몇 번째야?

현규　　난 명단을 쓰는 사람.

정　　　(표정)

현규　　이 권력이란 건 말입니다 진 검사님.

　　　　잘하는 놈 위로 올려주는 게 아니에요.

죄를 사해 주고 덮어 주는 거. 그게 진짜 권력이에요.

정   (보는)

현규   이길 수 없다면 한 편이 되라... 생각 바뀌면 연락해요.
        난 검사님 좋더라. (걸음 옮기는)

정   (이 악물고 현규 노려보는 데서)

S#39   **현규의 차 안 (낮)**

        도로를 달리고 있는 현규의 차.
        운전석엔 도환, 뒷좌석엔 현규가 타 있다.

현규   (차창 바라보다가) ...오 변호사님?

도환   예 대표님.

현규   아시는 거 있으세요?
        진 검사가 어떻게 체포 영장을 쳤는지.
        영장을 쳤다는 건 걔가 카드를 갖고 있단 거거든...
        근데 그게 뭔지를 모르겠네? (도환 보는)

        도환 힐끔 백미러 보면,
        물끄러미 자신을 바라보고 있는 현규.

도환   (잠시 있다가, 긴장) 유진철이라고
        저한테 메모리 카드를 넘겨준 사람이 있습니다.
        그 사람이 복사본을 갖고 있었던 거 같습니다.

현규   저런... 받을 때 진작 좀 확인하지 그랬어.

도환	죄송합니다.
현규	앞으론 주의 부탁해요. (차창 밖 바라보는)
도환	(힐끔 백미러로 현규 보는, 긴장한 표정에서)

S#40 검찰청 옥상 (낮)

심각한 얼굴로 벤치에 앉아 있는 정과 아라.

아라	서 대표 끗발 한번 대단하네.
	말 한마디에 알아서들 엎드려 주시고.
정	제 실수예요.
	거기까지 손 닿아 있을 거라고 예상했어야 했는데.
아라	자책하지 마 누구도 예상 못한 거였어.
	(픽 냉소하는) 이건 뭐 어디까지 썩었는지 감도 안 온다.
정	영원히 안 끝날 거예요. 뿌리 자체를 뽑지 않는 한.
아라	제초제가 필요한데 방법이 없네.
	(힘없이 하늘 보는) 이럴 때 하늘에서 뭐 안 떨어지나...
정	호미든 농약이든 방법 있을 겁니다.
	포기하지 말고 찾아봐요.
아라	(정 흘기는) 누가 포기한대? 그냥 말이 그렇다는 거지.

그때 진동 울리는 아라의 핸드폰. 전화 받는 아라.

아라	(힘없이 받는) 예 수사관님.
	...아뇨 잠깐 바람 쐬러. 무슨 일이세요?

(듣고, 놀란) 예?!

정　　　　(??, 아라 보는)

아라　　　예 알겠어요 고마워요.

　　　　　(핸드폰 내리고 정 보는, 당황스런 표정)

S#41　　**현규의 차 안 (낮)**

도로를 달리고 있는 현규의 차.

현규　　　(핸드폰 진동 울린다, 웃으며 받는)

　　　　　예 판사님, 아까 만났는데 왜 또?

판사(소리)　죄송합니다 선배님.

현규　　　(듣는, 입가에 웃음기 서서히 사라지고)

S#42　　**검찰청 옥상 (낮)**

아라　　　(자신도 얼떨떨한) 서지한 체포 영장... 나왔다는데?

정　　　　(멍하니 있다가) ... 예?

S#43　　**구치소 특별 면회실 (낮)**

난감한 듯 땀 뻘뻘 흘리며 핸드폰 통화 중인 판사.

판사　　　면목 없습니다. 죄송합니다 선배님.

　　　　　(핸드폰 내리는, 앞을 보며)

이제 됐습니까?

이제야 보이는 방 안 풍경, 구치소 특별 면회실이다.
그리고 판사의 앞에 앉아 있는 사람, 김태호다...!

김태호	수고하셨습니다.
판사	약속하신 건...
김태호	(판사 옆자리 보며 고개 끄덕이는)

쓱 서류 봉투를 건네주는 판사 옆 누군가, 박재경이다!

박재경	잘하는 짓거립니다. 법관이란 양반이 두 집 살림이나 차리고.
판사	(기어들어가는) 사랑이 죄는 아니잖습니까.
박재경	지랄병은... 당신은 존재 자체가 죄야. 나가!

(경과)
마주 앉아 있는 김태호와 박재경.
각자 앞엔 찻잔이 놓여 있고.

김태호	서현규한테 줄 대려고 용쓰던 인간이야. 혹시 몰라 조사해 놨던 게 이럴 때 도움이 되네.
박재경	옛날부터 유명했잖아. 강산 쪽 일이면 덮어놓고 방탄 치는 거.
김태호	(옅게 웃음 짓고)

박재경	고맙다 도와줘서.
김태호	나 너 믿고 질렀다. 내 가족 지켜 준다는 약속 지켜.
박재경	(끄덕이는) 같은 실수 안 해.
	이번엔 그놈 잡을 확실한 카드도 있고. (차 마시는데)
김태호	MP3... 과연 그걸로 될까?
박재경	(멈칫, 무슨 말인가 싶어 김태호 보면)
김태호	서현규가 어떤 인간인지 알잖아.
	단지 그거 하나만으론 글쎄... 어려울지도 몰라.
박재경	다른 게 있단 소리로 들린다?
	지금보다 확실하게 서현규 잡을 수 있는.
김태호	(박재경 바라보는)

◀ **플래시백**

9화 39씬

김태호	당장 나 꺼내. 안 그럼 당신이 옛날에 무슨 짓을 했는지 당신 서고에 뭐가 있는지까지 전부 불어 버릴 거니까!

박재경	(지긋이 김태호 보는) 아는 게 있는 거냐?
김태호	(고민하는)
박재경	태호야.
김태호	(고민하다가, 결국) 미안하다. 내가 할 말은 다 했어.
박재경	(보는)
김태호	부탁이다 재경아.
	(회한 어린) 더는 내가 후회하지 않게 해 주라.
박재경	(김태호 바라보는 데서)

S#44   **로펌 강산 로비 (낮)**

위풍당당하게 안으로 들어서는 정과 아라,
중도와 은지 철기.
보안 게이트 향해 걸음 옮기는 다섯 명.
어느 순간
서너 명의 보안요원들이 그들 앞을 가로막는다.

보안1   무슨 일이시죠?

중도   (신난) 이 자식들이 누구 앞에서 무엄하게,
        검찰이다 자식들아!

정   (중도 옆에 은지에게) 조용히 시켜.
        (보안1에게) 서지한 만나러 왔습니다. (아라 보면)

아라   (체포 영장 보여 주는) 서지한 씨 체포 영장입니다.
        협조 부탁드립니다.

보안1   …잠시만 기다려 주십쇼.
        (보안2에게) 변호사님 연락해.

중도   연락은 무슨 우리가 모시러 온 줄 아나!
        당신들 계속 이럼 공무… 공무 그거야 알아?
        비켜! (앞으로 나서는데)

보안1   (막으며) 기다리시라 말씀 드렸습니다.

중도   에에? 이게 지금 뭐 하는 플레이?
        감히 검찰한테 무엄하게?

철기   (정에게) 시간 더 끌리면 위험할 수도 있습니다 검사님.

은지   도망가겠네.

정	(피식, 아라에게) 먼저 갈게요 선배.
아라	뭐?

중도와 보안들이 실랑이하는 사이
보안 게이트를 향해 달려가는 정.
훌쩍 게이트 뛰어넘어 안으로 들어간다.

보안1	!! 막아!
철기	!! 잡아!

보안요원들 붙잡으며 몸싸움 벌이는 철기와 중도, 은지.
로비에 있던 사람들도 달려들어 함께 몸싸움 벌인다.
난리도 이런 난리가 없는 상황 속,
기가 차 그들 모습 바라보는 아라.

S#45 서현규 대표실 (낮)

소파에 앉아 있는 현규. 심각한 얼굴 표정.
지한은 초조한 듯 대표실 안을 서성이고 있고.

지한	어떡해요 아버지? 지금 바로 밑에까지 들어왔다던데.
현규	(지한 탓하는) 그렇게 왜 그런 멍청한 짓을 해서...
	할 거면 걸리지나 말던가.
지한	(면목 없는) 죄송해요. 어떻게든 물건 찾아 드리려다가...
현규	(작게 한숨 내쉬곤 소파에 앉으라 손짓하는)

지한	(소파에 앉으면)
현규	가서 조금만 고생하고 있어.
지한	!! 아버지.
현규	(지한의 손잡는) 세상에 아들 버리는 애비 없다.
	너는 내 아들이고 강산의 다음 대표야.
	걱정하지 말고 아빠 믿어.

쾅 문을 박차고 안으로 들어오는 정.
잠시 후 아라와 철기, 중도와 은지도 뒤따라 들어온다.
철기와 중도 은지는 산발에 엉망진창 몰골이고...

정	어? 안 도망갔네?
	에이 아쉽다 야, 잡으면서 팰러 그랬는데.
아라	(작게) 그게 검사가 할 소리냐?
정	(지한에게) 가자. 깜빵 생활 하셔야지.

지한, 현규 보면, 살짝 고개 끄덕이는 현규.
일어서는 지한, 정에게 다가간다.
철기에게 수갑을 건네받는 정,
지한의 손목에 수갑 채우려 하면,

지한	(팔 뿌리치는) 놔. 내 발로 간다.
정	(픽 웃는) 뭐래는 거야 새끼가. (지한 손목에 수갑 채우는)

지한을 데리고 나가는 철기와 중도, 은지.

| 정 | 다음은 당신이야. (입으로 끼익 소리 내며 목 긋는 시늉하는) |
| 아라 | (놀라 정 보고) |

웃음 지으며 아라와 함께 걸음 옮기는 정.
서늘한 현규의 표정에서.

S#46 **중앙 지검 전경 (밤)**

S#47 **검찰청 취조실 모니터 룸 (밤)**

유리문을 통해 취조실에 앉아 있는
지한을 바라보고 있는 정.
잠시 후 아라가 안으로 들어온다.

| 아라 | 계속 묵비권이야. 아무래도 쉽지 않겠어. |
| 정 | (취조실 안 지한 보면) |

여유 있게 웃음 흘리며 정 바라보는 지한.
보란 듯 테이블 위에 두 다리 올리고.

아라	이제 채 48시간도 안 남았어.
	구속 영장 청구하려면 증거든 자백이든 뭐 하난 더 필요해.
정	어차피 저희 목표는 서현규입니다.
	MP3를 풀면 서현규 서지한 둘 다
	확실하게 잡아넣을 수 있어요.

아라	애초에 쟤가 살인을 저지른 것도 그거 때문이니까.
정	(끄덕이며 지한 보는)
아라	(손목시계 보는, 초조한) 시간이 없어 빨리 풀어야 돼.
	비번은? 진행된 거 있어?
정	(작게 한숨 내쉬는)

S#48   병원 정의 모 입원실, 민원봉사 사무실 밖 교차 (밤)

침대에 누워 핸드폰 통화 중인 정의 모.

정의 모	아빠 비번?

사무실 향해 걸음 옮기며 핸드폰 통화하는 정.

정	혹시 아는 거 있나 해서.
	자주 쓰는 번호라던가 그런 거.
정의 모	정확하겐 모르겠는데 이건 확실해. 우리 가족 생일.
정	생일?
정의 모	워낙 정신없는 양반이었잖아 니 아빠가.
	언제 한번 나랑 니 생일 자꾸 까먹어서
	뭐라 한 적 있었거든.
	앞으로 비밀번호 같은 거 무조건 우리 생일로 하라고.
	그 담부턴 안 까먹더라고. 근데 건 갑자기 왜?
정	아냐 갑자기 궁금해서.
	이따 봐요. (핸드폰 내리는)

S#49   민원봉사 사무실 (밤)
              아무도 없는 사무실 안.
              MP3와 연결된 노트북,
              '취재' 프로그램 로그인 창을 바라보고 있는 정.

정   …내 생일.

              비밀번호 입력 칸에 **'920112'**를 입력하는 정.
              틀렸다.
              화면엔 입력 기회가 두 번 남았단 메시지가 뜨고.

정   …엄마 생일?

              비밀번호 입력 칸에 **'671013'**을 입력하는 정.
              또 틀렸다.
              화면엔 입력 기회가 한 번 남았단 메시지가 뜬다.
              초조한 얼굴로 작게 한숨 내쉬는 정.
              노트북 덮으려는 그때, 문득 눈에 띄는 무언가,
              코코가 바이크 키홀더를 씹고 있다.

정   코코! (다가가 바이크 키홀더 빼앗는) 너 진짜 혼나?
              장난감 놔두고 왜 자꾸 바이크 키를…

              하다가 멈칫, 물끄러미 바이크 키홀더를 보는 정.
              어느 순간 번뜩 떠오른 생각!

S#50   **회상, 바이크 판매점 (낮)**

반들반들한 새 바이크 앞에 서 있는 어린 정과 정의 부.

어린 정	(심각한 표정) … 괜찮을까?
정의 부	(긴장한 표정) 뭐가?
어린 정	(바이크 가리키는) 이거. 엄마 몰래 사는 거잖아.
정의 부	때론 허락을 구하는 거보다…
	용서를 구하는 게 더 쉬운 법이니까.
	(비장한) 오늘을 기억해라 아들.
	남자의 로망이 이루어진 날이자
	우리가 새 식구를 들인 날,
	(바이크 보는) 엘리의 생일이다.
어린 정	이름이 외국인이네.
정의 부	독일 애거든. 구텐탁 독고탁 마동탁.
어린 정	(진지한) 아빠, 엄마한테 그런 건 하지 마.
정의 부	(걱정스럽지만) 잘생기면 다 돼. …되겠지?
어린 정	(작게 한숨 내쉬고)

S#51   **민원봉사 사무실 (밤)**

비밀번호 입력 칸에 바이크 구입 날짜를 입력하는 정.
긴장한 얼굴로 작게 심호흡.
결심한 듯 엔터 누른다.
띠링-! 암호가 풀리며 로그인되는 프로그램.

정   (기가 찬, 슬쩍 천장 바라보는) 아부지 이건 좀...

S#52   **민원봉사 사무실 앞 (밤)**

          사무실을 향해 걸음 옮기는 박재경.

S#53   **민원봉사 사무실 (밤)**

          심각한 얼굴로 노트북 바라보고 있는 정.
          잠시 후 박재경이 안으로 들어온다.
          자리에 앉아 있는 정을 보곤,

박재경   여기서 살 거냐? 그런다고 야근수당 안 나온다.
정   아저씨.
          (박재경 보는) 풀었어요. 아버지 비밀번호.
박재경   ...!!

          노트북을 박재경에게 보여 주는 정.
          박재경 보면, 폴더 안, 동영상 파일이 들어 있다.

박재경   (정 보면)
정   같이 보려고.

          이어폰 한쪽을 박재경에게 건네주는 정.
          동영상 파일을 플레이시킨다.

S#54   **극장 (밤)**

허름한 옛날 극장 안.
등산복 차림으로 텅 빈 관객석 자리에 앉아 있는 현규.
한 자리를 사이에 두곤
피고인(10화 2씬)과 전무가 앉아 있다.
그들 뒤에 위압적으로 서 있는 검은 양복1, 2.
그리고 보이는 영사실 안,
디지털 카메라로 그 모습 동영상 촬영하고 있는 한 사람,
정의 부다.

현규   극장 자주 오세요?

피고인   (긴장) 자주는 아니고
          가끔 집사람이랑 아들이랑 같이 옵니다.

현규   전무님은?

전무   (탐탁지 않은) 저희를 여기로 부른 이유가 뭡니까?

현규   전무님 성격이 급하시네.
          이번에 그쪽 회사 가습기 살균제...
          아무래도 두 분이 안고 가셔야 될 거 같아서.

피고인   ...!!

전무   !!

현규   두 분이 자식 농사를 아주 잘 지셨더라고.
          과장님 아들 음악 하신다고.
          전무님 따님은 의대 재학 중이고.

정의 부   (긴장한 얼굴로 그들 모습 계속 동영상 촬영하고)

현규	근데 자제분들은 알아요?
	두 분 사이좋게 선물 투자 실패해서
	집에 딱지 붙게 생긴 거.
피고인	!! 그걸 변호사님이 어떻게...?
현규	어떻게긴 뭘 어떻게예요.
	나한테 일 맡기신 분,
	그쪽 회장님이 말해 줬으니까 알지.

뒤에 서 있던 양복들 바라보는 현규.
양복1,
스포츠 백 하나씩을 전무와 피고인 앞에 놔준다.
두 사람 가방 안 보면,
100달러 지폐가 수북이 들어 있고.

피고인	!! (놀라 현규 보는)
현규	두 분께 좋은 기회니까...
	좋은 선택 하시기 바랍니다.
전무	만약 저희가... 거절을 하겠다면요?
현규	(이마 긁적긁적) 그거까진 생각 안 해 봤는데...
	아마 다른 사람을 구하겠죠?
	책임질 누군가는 필요하니까.
피고인	(전무 눈치 보는)
현규	근데 솔직히 나도 그런 건 좀 귀찮고...
	그냥 오케이 하시죠.
전무	(잠시 고민하다가) 죄송합니다. 이건 아닌 거 같습니다.

현규	(전무 보는)
전무	짓지도 않은 죄로 감옥에 갈 순 없습니다.
	능력 없는 애비가 될지언정
	비겁한 애비는 되고 싶진 않습니다.
현규	...그래요. 마음이 그러하시다면야.
	(피고인 보는) 조 과장님도?
피고인	(갈등하는데)
전무	됐어 조 과장, 들을 필요 없어.
	(일어서는) 이런 일로 다신 찾지 말아 주십쇼.
	그럼 저흰 이만... (하는데)

전무를 붙잡아 강제로 앉히는 양복1, 2.

전무	뭐, 뭐 하는 거야? 이거 안 놔?!

등산 가방에서 피켈을 꺼내는 현규.
담담한 얼굴로 전무에게 다가간다.
충격과 경악으로 그 모습 바라보는 정의 부.
그 위로 들리는 소리. 퍽-!

현규	(양복들에게, 담담한) 정리해.
	시트랑 밑에 새로 다 깔고.
양복1	예.
현규	조 과장님은 어떻게, 마음은 정하셨어요?
피고인	(떨리는) 예, 예 정했습니다.

극장 영사실.

떨리는 얼굴로 그 모습 몰래 찍고 있던 정의 부.

핸드폰을 꺼낸다. 덜덜 떨며 '112'를 누른다.

통화 버튼을 누르려다 그만 핸드폰을 떨어뜨리고 만다.

놀란 마음에 핸드폰 주우려다 근처에 쌓여 있던

필름 보관통을 건드리는 정의 부.

우르르 쏟아지는 필름 보관통.

소란스러운 소리에 멈칫하는 현규.

영사실을 바라본다. 두 사람 눈이 마주친다.

표정 서늘히 식는 현규.

디지털카메라를 똑바로 바라보는 모습...!

큰일 났다. 재빨리 카메라 끄는 정의 부.

부리나케 밖으로 도망치는 데서.

S#55   **민원봉사 사무실 (밤)**

동영상 플레이가 멈춘다.

심각한 얼굴의 정과 박재경.

정   서현규가 기를 쓰고 찾으려 한 이유가 있었네요.

박재경   내가 맡았던 사건이었어.

         대타를 세웠단 건 알고 있었지만

         확실한 증거는 못 잡았던.

정   (심각한 얼굴로 노트북 보는데)

박재경   (진지한) ...진 검사 넌 그만 빠져.

232   진검승부 ②

정	!!
박재경	처음부터 내 사건이었어.
	MP3 나한테 넘기고 손 떼.
정	(꾹 화 참고) 자꾸 이러실 거예요?
박재경	이건 서현규랑 내 싸움이야.
	너만 그놈 잡을 수 있는 거 아니니까
	나 믿고 이거 못 본 척해.
정	같이하기로 얘기 끝났잖아요.
	이거면 충분히 서현규 손에 수갑 채울 수 있으니까...
	(하는데)
박재경	(나직이, 단호한) 명령 들어. 나 니 상관이야.
정	(서서히 감정 격해지는) 그런 문제가 아니잖아요
	갑자기 왜 이러는 건데?
	영상 보고 쫄기라도 한 거예요?
박재경	MP3 놓고 가.
정	아저씨!
박재경	놓고 가라면 놓고 가!
정	...!!
박재경	(와락 정의 멱살 잡는) 정신 똑바로 차리고 내 말 잘 들어.
	너 이게 지금 장난 같애? 세상 너 혼자 살아?
	너 진짜 죽는다고 이 새꺄!
정	(박재경 바라보고)
박재경	너 나한테...
	아무도 안 잃을 거라 그랬지. 나도 그래 인마.
	(눈물 그렁그렁해) 나도 이제 더는 아무도...

아무도 안 잃고 싶다고 자식아.

정   (작게 한숨 내쉬고)

박재경   (멱살 풀고) 솔직히 나 그 꼴은 못 보겠다.

         이젠 잃을 것도 없다 생각했는데 아니었어.

         나 그 꼴 못 본다 정아.

정   다행이네요 저랑 생각이 같아서.

         저도 그 꼴 못 봅니다. 아저씨 그렇게 되는 거요.

박재경   (보는)

정   그러니까 같이해요.

         짐이 있으면 같이 들자고요 왜 자꾸 혼자 들려 그래.

박재경   (바라보고)

정   다시는 혼자 한단 소리 하지 마세요.

         한 번만 더 해 봐 그땐 내가 아저씨 빼 버릴 거니까.

박재경   (어이없는) 지가 실장이지 지가 실장이야.

         박재경 문득 정의 책상 한쪽 보면,
         생일 케이크 박스가 놓여 있는 게 보이고.

박재경   저건 뭐냐?

정   아 오늘 엄마 생일이거든요.

         (노트북 보는) 가 보려 했는데 안 될 거 같네.

박재경   (표정 가라앉는) 어머니한테 가.

정   가긴 어딜 가요 당장 할 일이 산더민데.

박재경   생신이잖아 일 년에 한 번뿐인.

         몸 성하신 것도 아닌데 너까지 안 챙기면

얼마나 서운하시겠냐.

하루 정도 쉰다고 세상 안 끝나.

(케이크 정에게 쥐어 주는)

챙기는 김에 사랑한다 말도 해 주고.

난 그게 제일 후회되더라.

정   (박재경 바라보는)

S#56   **민원봉사 사무실 밖 (밤)**

MP3와 케이크 든 채 밖으로 나오는 정.

그런 정을 배웅해 주는 박재경.

정   (다짐받듯) 진짜 약속입니다. 혼자 뭐 할 생각하지 마.

박재경   알았어 알았어.

(MP3 가리키는) 이거도 지가 갖고 가면서

내가 뭘 어쩌겠다고.

들어가 어머니 기다리시겠다.

정   내일 봬요. (걸어가려다가 멈칫) 맞다, 고마워요.

서지한 체포 영장.

박재경   뭔 소린지 모르겠는데.

정   그럼 됐고. 갑니다. (미소로 걸음 옮기는데)

박재경   (정 바라보다가) 진정.

…내일부터 할 일 태산이야. 늦지 마라.

정   아저씨나 늦지 마세요.

보니까 새벽에 손흥민 경기 있더구만.

박재경	전반만 볼게.
정	골 넣으면 연락해요. 진짜 갑니다. (걸음 옮기는)
박재경	(미소로 정 바라보고)

미소로 정의 뒷모습 바라보는 박재경.
어느 순간 표정 결연해진다.

S#57   **민원봉사 사무실 (밤)**

자신의 자리에 앉는 박재경. 책상 위를 본다.
책상 위,
정이 들고 간 것과 똑같은 MP3가 놓여 있다.

S#58   **회상, 민원봉사 사무실 (밤)**

나갈 준비를 하며 재킷을 걸치고 있는 정.
자리에 앉아 있던 박재경, 정을 바라본다.
결심했다.
책상 서랍에서 새 MP3를 꺼낸다.

박재경	(정에게 다가가) 내 효자손 어딨냐?
	흰둥이랑 산책 나가려니까 안 보이네?
정	거 참 코코라니까 촌스럽게...
	찾아봐요 어디 있겠지.
박재경	(정의 책상 밑 가리키는) 밑에 한번 봐봐.

뭐 하나 있는 거 같은데?

자신의 책상 밑으로 몸 숙이는 정.
그 사이 박재경, 들고 있던 새 MP3와
책상 위 진짜 MP3를 바꿔치기 한다.
(정이 가져간 MP3는 새 MP3입니다.)

S#59   **민원봉사 사무실 (밤)**

핸드폰에서 현규를 찾아 전화 거는 박재경.

S#60   **서현규 대표실 (밤)**

자리에 앉아 핸드폰 통화 중인 현규.
이야기를 듣다가, 서서히 표정 심각해지고.

S#61   **민원봉사 사무실 밖 일각 (밤)**

현규의 차가 멈춰 선다.
도환이 차 문을 열어 주기도 전에 밖으로 나오는 현규.
심각한 얼굴로 도환 놔두곤 봉사실 향해 걸음 옮긴다.

S#62   **민원봉사 사무실 (밤)**

안으로 들어오는 현규.

가운데 테이블, 박재경이 앉아 있다.
코코는 구석 케이지 안에 들어 있다.
박재경의 앞에 서는 현규. 두 사람의 모습에서.

S#63   **병원 정의 모 입원실 (밤)**

불 꺼진 입원실 안.
정의 모 앞, 촛불 켜진 케이크가 놓여 있다.
트로트 버전으로 생일 축하 노래를 부르는 정.

정   생일 축하합니다. 생일 축하합니다.
        사랑하는 엄마의, 생일 축하합니다.

        와아아 입원실 곳곳에서 터져 나오는
        환자들의 환호와 박수 소리. 입원실 불이 켜진다.

정   (민망한) 노래 불렀으니까 됐지?
        내일 꼭 검진 받는 거야?
정의 모   고마워 아들. (후 불어 촛불 끄고)
환자1   (정의 모에게) 세상에 아들이 어쩜 저렇게 노래를 잘해?
        가수야?
정의 모   우리 정이가 어디 노래만 잘하나?
        공부도 잘하고 운동도 잘하고.
        (으스대는) 그리고 우리 아들 검사야.
환자1   어머 웬일이야 너무 부럽다.

우리 아들은 맨날 사고치고 속만 썩여 가지고...

서로 웃으며 수다 떠는 정의 모와 환자1.
미소로 엄마를 바라보는 정.
그때 진동 울리는 정의 핸드폰.
(도환에게 온 전화지만 화면상 발신자는 보이지 않는단 설정입니다.)
오도환이 갑자기 왜?
핸드폰 바라보는 정의 표정.

S#64   **병원 복도 (밤)**

정   (밖으로 나와 전화 받는) 여보세요.

핸드폰 너머 이야기를 듣는 정.
점점 표정 심각해지는 데서.

S#65   **민원봉사 사무실 앞 (밤)**

사무실을 향해 달려가고 있는 정.
흠뻑 젖은 땀과 거칠게 몰아쉬는 호흡.
봉사실 앞, 경찰들과 구급대원들이 몰려 있다.
믿을 수 없는 현실.
혼란과 당황, 절망을 안은 채 사람들에게 다가가는 정.
사무실 밖으로 나오는 구급대원들.
흰 천에 덮인 누군가가 스트레쳐카에 실려 있다.

스트레쳐카로 다가가는 정.

떨리는 얼굴로 흰 천을 들춘다. 박재경이다.

박재경 바라보는 정의 모습에서...!!

- 10화 끝 -

episode 11

● ● ●

갑작스러운 박재경의 죽음. 장례식
장에 나타난 서현규를 보며 복수를
다짐하는 정. 모든 증거를 다 빼앗
긴 상황에서 서현규를 잡을 수 있는
카드는 오직 그의 서고 하나뿐.
한편, 정이 서고를 노리고 있단 걸
깨달은 서현규는 특단의 조치를 취
하겠다 결심하는데...

S#1   **민원봉사 사무실 밖 (밤)**

MP3와 케이크 든 채 밖으로 나오는 정.
그런 정을 배웅해 주는 박재경.

정   (다짐받듯) 진짜 약속입니다. 혼자 뭐 할 생각하지 마.
박재경   알았어 알았어.
             (MP3 가리키는) 이거도 지가 갖고 가면서
             내가 뭘 어쩌겠다고.
             들어가 어머니 기다리시겠다.
정   내일 봬요. (걸어가려다가 멈칫)
             맞다, 고마워요. 서지한 체포 영장.
박재경   뭔 소린지 모르겠는데.
정   그럼 됐고. 갑니다. (미소로 걸음 옮기는데)
박재경   (정 바라보다가) 진정.
             ...내일부터 할 일 태산이야. 늦지 마라.

정	아저씨나 늦지 마세요.
	보니까 새벽에 손흥민 경기 있더구만.
박재경	전반만 볼게.
정	골 넣으면 연락해요. 진짜 갑니다. (걸음 옮기는)
박재경	(미소로 정 바라보고)

미소로 정의 뒷모습 바라보는 박재경.
어느 순간 표정 결연해진다.

S#2   **민원봉사 사무실 (밤)**

자신의 자리에 앉는 박재경. 책상 위를 본다.
책상 위,
정이 들고 간 것과 똑같은 MP3가 놓여 있다.

S#3   **회상, 민원봉사 사무실 (밤)**

나갈 준비를 하며 재킷을 걸치고 있는 정.
자리에 앉아 있던 박재경, 정을 바라본다.
결심했다.
책상 서랍에서 새 MP3를 꺼낸다.

박재경	(정에게 다가가) 내 효자손 어딨냐?
	흰둥이랑 산책 나가려니까 안 보이네?
정	거 참 코코라니까 촌스럽게...

찾아봐요 어디 있겠지.

박재경   (정의 책상 밑 가리키는) 밑에 한번 봐봐.

뭐 하나 있는 거 같은데?

자신의 책상 밑으로 몸 숙이는 정.

그 사이 박재경, 들고 있던 새 MP3와

책상 위 진짜 MP3를 바꿔치기한다.

(정이 가져간 MP3는 새 MP3입니다.)

S#4   **민원봉사 사무실 (밤)**

핸드폰에서 현규를 찾아 전화 거는 박재경.

S#5   **서현규 대표실 (밤)**

자리에 앉아 핸드폰 통화 중인 현규.

이야기를 듣다가, 서서히 표정 심각해지고.

S#6   **민원봉사 사무실 밖 일각 (밤)**

현규의 차가 멈춰 선다.

도환이 차 문을 열어 주기도 전에 밖으로 나오는 현규.

심각한 얼굴로 도환 놔 두곤 봉사실 향해 걸음 옮긴다.

S#7   **민원봉사 사무실 (밤)**

10화 62씬 연결

안으로 들어오는 현규.
가운데 테이블, 박재경이 앉아 있다.
코코는 구석 케이지 안에 들어 있다.
박재경의 앞에 서는 현규.

현규	안에 내용 봤다고. 진 기자 물건.
박재경	내용이 꽤 재밌더라.
	어떡해 서 대표? 당신 끝난 거 같은데.

+   인서트

민원봉사 사무실 밖.
창문 슬며시 열어 두 사람 대화를 듣는 도환.

현규	(긴장한 얼굴로 박재경 보다가) ... 원하는 게 뭐야?
박재경	(보는)
현규	꼭 이렇게 서로 끝까지 갈 필욘 없어 박 검사.
	원하는 걸 말해. 뭐든 줄게.
박재경	진 검사. 다신 건드리지 않겠다 약속해.
현규	(흔쾌히 고개 끄덕이는) 그렇게 할게.
	다른 거 필요한 건 없고?
박재경	(피식 냉소로) 다른 거?
현규	(박재경 보는)
박재경	우리 가족 준수랑 내 아내... 다시 돌려내.
현규	(난감하고)

박재경	다시 내 앞에 데려와. 그럼 내가 당신 용서해 줄게.
현규	박 검사... 그 건은 내가 정말 미안하니까... (하는데)
박재경	나도 당신한테 그랬지. 잘못했다 다신 안 그러겠다.
	다시는 당신 처다보지도 않을 테니까 제발 한 번만...
	한 번만 우리 가족 살려 달라고.
	근데도 그때 서 대표 당신은...
	(말 잇지 못하는, 분노로 현규 노려보고)
현규	(박재경 보다가, 무릎 꿇는) 미안해 박 검사.
도환	...!!
박재경	뭐 하는 거냐?
현규	내가 잘못했어. 한 번만 용서해 주라. (고개 숙이는)
박재경	(현규 바라보고)
현규	이런 말 하는 거 염치없다는 거 알지만...
	살려 주라. 잘못했다 정말.
박재경	(현규 앞에 종이랑 펜 던져 주는) 써.
	앞으로 절대 진 검사랑 어머니,
	친구들한테 얼씬도 않겠다고.
현규	내가 이거 쓰면... 나한테 그 물건 주는 거야?
박재경	당장 기자 불러 줘?
현규	미안해 미안.
	진 검사 해코지 안 하겠다 내가 쓸 테니까...
	(비굴하게 웃으며 펜 드는)

무릎 꿇고 엎드린 채 각서를 쓰기 시작하는 현규.
그 모습 심히 비굴하고 처량하다.

민원봉사 사무실 밖.

그런 현규를 바라보며 서 있는 도환.

현규   (각서를 다 쓴, 곱게 접어 박재경에게 건네주고)

            하라는 대로 다 했으니까 그건 이제 나한테... (하는데)

박재경   하나 더.

            내가 아직 모르는 당신 비밀, 그게 뭔지 말해.

현규   ...!!

박재경   (단호히 현규 보고)

현규   (난처한) 박 검사... 그건 내가 좀...

            현규 문득 보면, 사무실 서류 보관함 위,

            정의의 여신상이 놓여 있다.

박재경   머리 쓸 생각하지 말고 말해 서 대표.

            빨리 죽냐 늦게 죽냐 차일 뿐 당신한테 선택지는 없어.

현규   ...그 전에 나 물 한 잔만 주라.

            얘기가 길어질 거 같아서.

            정수기를 향해 뒤도는 박재경.

            그 사이 일어서는 현규. 정의의 여신상을 집는다.

            힘껏 박재경의 머리를 내려친다.

            퍽! 바닥에 쓰러지는 박재경,

            힘겹게 뒤돌아 현규 바라보는데,

            서늘한 얼굴로 다시 한번 퍽!

박재경의 머리를 여신상으로 내려치는 현규.

고개를 옆으로 떨구는 박재경.

움직이지 않는다. 숨도 쉬지 않는다.

경악과 충격으로 사무실 안 광경을 바라보는 도환.

현규	(담담히 박재경의 품 뒤지며) 오 변호사님.
도환	...!!
현규	거기 있는 거 알아요.
	(MP3와 각서 챙겨 일어서는) 내가 이제부터...
	오변한테 말을 편하게 할까 해.
도환	(현규 보는)
현규	기회를 드릴게.
	우리 오변이 정말 내 사람이 될 수 있는 기회.

민원봉사 사무실 밖.

얼어붙은 도환의 표정에서.

S#8   **민원봉사 사무실 밖 일각 (밤)**

MP3와 각서 손에 든 채 차 운전석에 오르는 현규.

작게 안도의 한숨을 내쉰다.

출발하는 현규의 차.

S#9   **민원봉사 사무실 (밤)**

박재경의 시신을 바라보고 있는 도환.

초조와 긴장 섞인 얼굴로 이마에 땀을 닦는다.

입술을 지긋이 깨물며 고민한다.

고민하고 또 고민하다가, 무심코 테이블 위 놓여 있던

검찰청 다이어리를 건든다.

툭 바닥에 떨어지는 검찰청 다이어리.

그리고 보이는...

다이어리 사이 껴 있던 박재경의 가족사진.

사진을 보는 도환.

마치 아내와 아들이 자신을 바라보고 있는 듯한 느낌이다.

도환   (잠시 사진 보다가) ...죄송합니다.

S#10   **민원봉사 사무실 앞 (밤)**

사무실을 향해 달려가고 있는 정.

흠뻑 젖은 땀과 거칠게 몰아쉬는 호흡.

봉사실 앞, 경찰들과 구급대원들이 몰려 있다.

믿을 수 없는 현실.

혼란과 당황, 절망을 안은 채 사람들에게 다가가는 정.

사무실 밖으로 나오는 구급대원들.

흰 천에 덮인 누군가가 스트레쳐카에 실려 있다.

스트레쳐카로 다가가는 정.

떨리는 얼굴로 흰 천을 들친다. 박재경이다.

멍하니 박재경의 시신을 바라보는 정.

아라와 철기, 중도, 은지가 달려온다.
박재경의 시신을 보며 할 말을 잃는 네 사람.
박재경의 얼굴에 흰 천을 덮는 구급1,
스트레쳐카를 구급차로 이동시킨다.

정   (구급대원들 말리는) 뭐 하는 거예요?

           (흰 천 가리키는) 이거 왜 씌운 거야?

아라   (안타까이 정 바라보고)

정   병원 갑시다. 아직 살아 있어 내가 알아.

           그러니까...

           (목이 메어 말이 잘 안 나온다, 침 삼키고 흰 천 가리키는)

           저거 치우고 병원 갑시다.

           아저씨 눈 좀 떠 봐요. 엄살 부리지 말고 일어나 봐.

철기   (정 붙잡으며 말리는) 검사님.

중도   (철기와 함께 정 말리고)

정   장난 그만치고 일어나요. 일어나 보라니까!!

           (중도와 철기에게) 놔, 놔!

           누구 마음대로 죽어 아저씨가 왜 죽어!

           (이동하는 구급대원들에게)

           아직 살아 있어, 살아 있다고 새끼들아!!

정을 붙잡으며 말리는 철기와 중도.
안타까움에 아무 말 못 하는 아라와 은지.
발버둥 치며 소리치는 정의 모습에서.

진검승부

S#11   **장례식장 로비 (낮)**

박재경의 사진과 이름이 떠 있는 빈소 안내 전광판.
메마른 얼굴로 안내 전광판 속 박재경 바라보며 서 있는 정.

아라(소리)   진 검사.

정 돌아보면, 아라가 서 있다.

아라   (쇼핑백 건네주는) 업체에서 상복 빌려 왔어.
             그리고 이거..
             (상주 완장 건네주는) 실장님 가족이 아무도 없네.
정   (잠시 완장 바라보다가, 건네받는)
아라   실장님 댁 가서 사진 챙겨 올게.
             정신이 없어서 아직 영정도... (무거운 한숨 내쉬고)
정   제가 갔다 올게요.

S#11-1   **추가 씬, 박재경의 집 방 안 (낮)**

박재경의 앨범을 보는 정.
가라앉은 얼굴로 앨범 한 장 한 장 넘긴다.
가족들과 함께 찍은 사진, 일상 사진,

김태호와 박재경이 함께 찍은 사진(7화 70씬) 등...
환한 웃음 짓고 있는 박재경의 독사진 한 장을 뽑아 든다.
앨범을 제자리에 집어 넣다가 멈칫,
쓰레기통 안에서 뭔가를 발견한다.
MP3 사용설명서와 빈 케이스다.
이제야 어떻게 된 건지 알겠다.
물끄러미 케이스 바라보는 정.

S#12   **박재경의 집 거실 (낮)**

방에서 나오는 정.
현관을 향해 걸어가다 멈칫, 식탁을 바라본다.

◀   **플래시백**

5화 43씬
식탁 위에 놓인 햇반과 간단한 반찬들.
허겁지겁 밥을 먹는 정.
식탁 맞은편엔 박재경이 앉아 있다.

박재경   (쯧쯧쯧...) 보는 내가 체하겠다. 천천히 먹어.

정   (배시시 웃고)

박재경   (반찬 정의 앞에 갖다주며) 좋댄다 머린 빵꾸 나서.

        밥 먹고 피 닦어!

후우... 심호흡하며 애써 감정 추스르는 정.

S#13 　　　**박재경의 집 화장실 (낮)**

세면대에서 얼굴을 씻는 정. 고개를 든다.
거울에 비친 자신의 모습 가만히 바라보는 정.

◀ 　　**플래시백**

　　　6화 42씬

정 　　다음엔 제가 실장님 살려 드릴게요.

물끄러미 거울 속 자신을 바라보는 정.
꾸욱 주먹을 쥔다.

◀ 　　**플래시백**

　　　10화 34씬

정 　　그리고 저 아무도 안 잃을 겁니다.
　　　그 전에 잡을 거거든.

거울 속 자신을 분노로 노려보는 정.
그렇게 노려보고 또 노려보다가,
쾅! 주먹으로 거울을 깬다.

S#14 　　　**박재경의 집 앞 복도 (낮)**

무거운 얼굴로 서 있는 아라.
안에서 들려오는 와장창 깨지는 소리에 놀라

현관문 바라보고.

S#15   **박재경의 집 화장실 (낮)**

뚝뚝 손에서 흐르는 피.
아랑곳하지 않고 깨진 거울 노려보고 있는 정.
황급히 안으로 들어오는 아라.
눈 앞에 펼쳐진 광경을 보곤 표정 얼어붙는다.

S#16   **박재경의 집 거실 (낮)**

정의 손에 붕대를 감아 주고 있는 아라.

아라   실장님도 너 이러는 거 바라지 않으실 거야.
정   (가만히 자신의 손 바라보고)
아라   니 잘못 아니야. 앞으로 이러지 마.
정   제 잘못이에요.
아라   (정 보는)
정   아저씨랑 한 약속... 하나도 못 지켰어요.
          (눈물 꾹 참는) 아무도 안 다치게 하겠다 큰소리만 쳐 놓고...
          난 그냥 말만 앞서는 놈이었던 거야.
아라   (정이 안쓰럽고)
정   아저씨한테 너무 미안해요.
          정말 너무 미안하고...
          미안해서 미치겠는데...

차마 말 잇지 못하는 정.
입술을 꾹 깨물며 솟구치는 눈물 참는다.

아라   (정의 손 따뜻이 잡아 주는) 괜찮아. 울어도 돼.

아라의 그 말에, 푹 고개 숙이는 정.
어깨가 들썩이기 시작한다.
가슴 속에 담아두고 있던 후회와 슬픔
한번에 끄집어내듯,
끄윽끄윽 소리 없이 터지는 정의 눈물.
그런 정을 위로하듯 안아 주는 아라.
정과 아라 두 사람의 모습에서.

S#17   **도환의 사무실 (낮)**

책상 의자에 앉아 있는 도환.
그 앞엔 강 수사관이 서 있고.

강 수사관   (들고 있는 서류 읽는) 구공판 날짜 잡혔습니다.
피해자 통화 속기록, 통장 거래 내역 증거로 첨부됐고
그날 증인 신문 진행 예정입니다.
도환   (듣는 둥 마는 둥, 심란한 표정)

◀   **플래시백**
11화 9씬

박재경의 시신을 바라보고 있는 도환.

도환   (작게 한숨 내쉬는)

강 수사관   피해자 진술 증거에 대해선 부동의하고
          나머지 증거에 대해선 일부 인정하는 걸로...
          (하다가, 도환 살피는) 변호사님?

도환   (정신 차리곤) 예?

강 수사관   어디 편찮으십니까?

도환   아닙니다. 공판 예정대로 진행하고
          저희 쪽 증인은 출석 대신 진술로 대처한다 해 주세요.

강 수사관   알겠습니다. (꾸벅 인사 후 나가는)

피곤한 듯 마른세수하는 도환.
그때 울리는 책상 위 전화기.

도환   (수화기 드는) 오도환입니다. ...예 대표님.

S#18   **서현규 대표실 (낮)**

소파에 앉아 박재경의 죽음에 관한 뉴스를 보고 있는 현규.

앵커(소리)   어젯밤 서울 중앙 지검 민원봉사실에서
          실장 박 모 검사가 둔기에 맞아 숨진 채 발견되었습니다.
          경찰 관계자에 따르면 현장에 단서나 목격자가 없는 건 물론,
          외부 CCTV 또한 제대로 작동하지 않아

수사에 난항이 예상된다...

그때 똑똑 노크 소리. 리모컨으로 TV를 끄는 현규.
안으로 들어오는 도환, 현규에게 꾸벅 인사하고.

(경과)
소파에 앉아 있는 현규와 도환.
현규, 붕어 즙에 빨대 꽂아 도환에게 건넨다.

도환	(공손히 건네받는) 잘 마시겠습니다.
현규	잠을 못 잤어? 안색이 영...
도환	아닙니다. 괜찮습니다.
현규	언제 시간 내서 사슴 농장 한번 가자.
	사돌이라고 키우는 애 하나 있는데 애가 뿔이 좋아.
	녹용에 알러진 없지?
도환	신경 써 주셔서 감사합니다.
현규	(마셔라 손짓)
도환	(붕어 즙 마시는데)
현규	애썼어. 처음이라 당황했을 건데 잘 정리했어.

+	인서트
	민원봉사 사무실. 현장을 청소하고 있는 방호복 서너 명.
	박재경의 시신을 바라보며 서 있는 도환.

현규	이제 우리... 공범이네?

멈칫 현규를 보는 도환.

그런 도환 보며 엷게 미소 짓는 현규.

쉿 사인을 보낸다.

그런 현규 긴장해 바라보는 도환.

S#19   **박재경의 집 거실 (낮)**

소파에 앉아 MP3 바라보고 있는 정.

아라   (안으로 들어와) 현장도 마찬가지야.

            실장님한테 MP3 없었대.

정   그럼 답은 하나네요.

             실장님을 그렇게 만든 놈이 물건을 가져갔다.

아라   실장님은 너한테 가짜 MP3를 주고. (정의 손에 MP3 보는)

정   (자책 어린) 저 때문이에요. 제가 위험해질까 봐.

             …제가 그때 가는 게 아니었어요.

             우겨서라도 옆에 있어야 했는데…

아라   (안타까이 정 바라보고)

그때 진동 울리는 정의 핸드폰.

중도에게 온 전화다.

S#20   **중도의 가게, 박재경의 집 거실 교차 (낮)**

노트북 보며 앉아 있는 중도.

중도	실장님 마지막 통화 확인했어.

스피커폰으로 통화 중인 정. 그 옆엔 아라가 서 있고.

정	누구야?
중도	어 그게... 서현규라 나오네?
아라	(정 보는, 표정)
정	서현규 위치 기록은?
중도	똑같아 실장님 계신 곳이랑. 아무래도 실장님이랑 서현규 대표... 같은 시간에 거기 있었던 거 같애.
아라	(작게 한숨 내쉬는) ... 알아봐 줘서 고마워요.
정	(서늘한 얼굴 표정에서)

S#21 장례식장 빈소 식당 (밤)

사람 하나 없이 휑한 테이블 자리들.
테이블 한쪽,
무거운 분위기 속 한자리에 모여 있는
아라와 철기, 중도와 은지.

철기	!! 서현규 대표가 말입니까?
아라	제일 유력해요. 지금까지 나온 정황들을 보면.
은지	(아라에게) 진검은 어때?
중도	멀쩡하겠냐? 나도 지금 기분이 이런데. (쓰게 소주 마시는)

| 아라 | (걱정스런 얼굴로 빈소 바라보고) |

S#22　　　　**장례식장 빈소 상주실 (밤)**

거울을 보며 상복을 입고 있는 정.
와이셔츠 팔목에 단추를 채운다.
넥타이를 매고 상의를 입는다.
잠시 상주 완장 바라보다가 왼팔에 찬다.
비장하고도 결연한 얼굴로 거울을 바라본다.
그때 밖에서 들리는 소리.

| 철기(소리) | 여기가 어디라고 옵니까! |
| 정 | (누군지 알겠다, 침착한 표정) |

S#23　　　　**장례식장 빈소 식당 (밤)**

빈소 밖으로 나오는 정.
철기가 누군가를 가로막으며 서 있다.
정 다가가 보면, 서 있는 한 사람, 현규다.

철기	(현규에게) 당장 나가세요.
현규	(웃으며) 손님한테 대접이 좀 그렇다.
	그래도 인사하러 왔는데.
철기	!! (발끈해 앞으로 나서는데)
정	철기야. 비켜 드려.

철기	(어쩔 수 없이 물러서면)
정	와 주셔서 감사합니다. (현규에게 목례하는)

S#24   장례식장 빈소 (밤)

박재경의 영정 사진 앞,
묵념을 올리고 있는 현규.
그 모습 표정 없이 가만히 바라보는 정.

현규	고인의 명복을 빕니다.
정	(현규 바라보는)

S#25   장례식장 밖 일각 (밤)

걸음 옮기는 현규.
정은 그 뒤를 마중하듯 따라 걷고.

현규	(멈춰 서는) 여기까지 안 오셔도 되는데.
정	인사는 드려야죠. 어려운 발걸음 감사 드립니다.
현규	들어가 봐요. (걸음 옮기는데)
정	(차가운) 서현규.
현규	(멈칫, 정 보는)
정	원수라도 장례식에선 반기는 거라더라.
	다 반겼으니까 지금부터 내 말 똑바로 들어.
현규	(보는)

정	MP3 당신이 갖고 있는 거 알아.
현규	예 뭐... (놀리듯 웃는) 어떻게 하다 보니까?
정	나 당신 용서 안 해.
	그러니까 앞으로 절대,
	후회한다거나 용서를 빈다거나 그딴 짓 하지 마.
	내 허락 없이 딴 사람한테 잡히지도 마.
	그 자리 그대로 있어. 내가 찾아가서 죽여 줄게.
현규	응원할게요. (걸음 옮기는)

서늘하고 차가운 얼굴로 현규 노려보는 정.

S#26   몽타주

/ 장례식장 빈소 (밤)
곳곳에 누워 잠을 자고 있는 중도와 은지, 철기.
부의함 자리에 앉아 있는 아라.
쓸쓸히 분향소 안 정을 바라본다.
박재경의 영정 사진 바라보며 앉아 있는 정.

/ 검찰청 취조실 (낮)
지한의 수갑을 풀어 주는 박 수사관.
자리에서 일어서는 지한.
한쪽에 서 있는 아라에게 비웃음 지으며 밖으로 나간다.

/ 쓰레기 소각장 (밤)

활활 솟구치고 있는 불길과 쓰레기들.
쓰레기들 사이,
핏자국 묻어 있는 정의의 여신상이 놓여 있다.
쓱 여신상을 들어올리는 검은 장갑 낀 손(도환).

/ 라운지 바 (밤)
위스키를 마시며 생각에 잠겨 있는 도환의 모습.

/ 서현규 대표실 (밤)
MP3와 연결된 노트북.
폴더 안 내용물들 바라보며 앉아 있는 현규.
마우스 클릭하면, 메시지 창이 뜬다.
'파일을 완전히 삭제하시겠습니까?'
'예'를 클릭하는 현규.
의자에 편히 몸 묻는다.

/ 화장터 (낮)
화로 안에 들어가는 박재경의 관.
유리 너머로 그 모습 안타까이 바라보고 있는 철기와 중도.
조용히 눈물 흘리는 은지.
무거운 한숨 내쉬는 아라와...
박재경의 영정 사진 든 채 서 있는 정.

/ 봉안당 밖 (낮)
쏟아져 내리는 비 맞으며 봉안당 향해 걸음 옮기는 정.

손에는 박재경의 유골함을 들고 있다.
박재경의 영정 사진 든 채 그 뒤를 따르는 아라.
철기와 중도, 은지.

/ 봉안당 [낮]

박재경의 가족들 유골함 앞에 서 있는 정.
들고 있던 박재경의 유골함을 가족들과 함께 안치한다.
묵념한다. 그 뒤에 서 있던 사람들도 함께 묵념한다.
어느 순간 고개를 드는 정. 밖을 향해 걸음 옮긴다.
서늘하고 결연한 얼굴로 걸음 옮기는 정의 모습에서.

S#27   **민원봉사 사무실 [밤]**

폴리스 라인 테이프를 젖히고 안으로 들어오는 정.
혹시라도 남아 있을 단서를 찾기 위해
사무실 곳곳을 살피기 시작한다.
어느 순간 멈칫,
사무실 한쪽 서류 보관함을 보는 정.
뭔가가 바뀌었다.
지긋이 서류 보관함 보는 정의 표정에서.

S#28   **회상, 민원봉사 사무실 [낮]**

서류 보관함 위에 놓인 정의의 여신상을 드는 정.
박재경은 가운데 테이블에서 버너로 라면 끓이고 있고.

정	(이리저리 여신상 살피다가) 이거 금이에요?
박재경	메이드 인 동묘.
	구천오백 원짜리 비싼 거야 인마 내려놔.
정	(이로 앙 여신상 물어 보고)
박재경	저거 이빨 한번 나가 봐야 정신 차리지. 와서 밥 먹어!
정	(여신상 제자리에 갖다 놓는)

S#29 　민원봉사 사무실 (밤)

여신상이 사라졌다. 서늘해지는 정의 표정.

S#30 　민원봉사 사무실 밖 (밤)

밖으로 나오는 정.
어딘가(도환)에 핸드폰 전화를 건다.

S#31 　지하철 물품 보관함 앞 (밤)

보관함 앞.
상·하의 검은 옷에 검은 모자를 눌러쓴
누군가(도환)가 서 있다.
보관함 안에 쇼핑백을 집어넣는 검은 장갑 낀 손.
(도환의 정체가 드러나지 않도록 부탁드립니다.)

S#32 　지하철 출입구 (밤)

출입구 근처에 멈춰 서는 정의 차.

차에서 내리는 정. 지하철 안으로 들어간다.

그런 정을 일각에서 지켜보고 있는 정장 차림의 남자,

도환이다. (31씬의 옷차림과는 다른)

S#33   **지하철 물품 보관함 앞 (밤)**

주변을 살피며 보관함 문을 여는 정.

쇼핑백을 꺼낸다.

쇼핑백 안 보면,

비닐 팩에 담긴 정의 여신상이 들어 있다.

여신상 한쪽, 핏자국이 묻어 있다.

서늘해지는 정의 표정.

그 모습 일각에서 지켜보고 있는 도환.

핸드폰 카메라로 정을 찍고.

S#34   **서현규 대표실 (낮)**

현규에게 사진들을 건네주는 도환.

현규 보면,

지하철 물품 보관함 앞 정을 찍은 사진이다.

도환   아무래도 진 검사... 사건에 대한 단서를 찾은 것 같습니다.

현규 사진 넘기면,

쇼핑백을 들고 이동하는 정의 사진이 나오고.

현규	(유심히 사진 속 쇼핑백 보는) 무슨 단서?
도환	파악 중입니다.
현규	(고심하는)
도환	말씀 드리기 조심스럽습니다만...
	현장 정리 팀 중에 누군가 진 검사를 돕고 있는 것 같습니다.
현규	아무도 모르는 조력자가 있다...
	지하철 CCTV는?

사진 한 장을 건네는 도환.
현규 보면, 지하철 물품 보관함 앞
모자 쓴 남자를 찍은 CCTV 사진이다.

도환	사진만으로 신원 확인은 불가능할 거 같습니다.

책상 위 펼쳐져 있는 사진들 바라보는 현규.
초조한 얼굴로 깊게 한숨 내쉬는 데서.

S#35   정의 차 안 (낮)

빠른 속도로 도로를 달리고 있는 정의 차.
결연한 얼굴로 운전 중인 정. 그 위로

아라(소리)	국과수 결과 나왔어.

S#36	**회상, 민원봉사 사무실 (낮)**

아라   (정에게 서류 봉투 건네며)

               증거에 묻어 있던 지문 서현규 거로 확인됐어.

               서현규 범인 맞아.

정   (봉투 안 서류 확인하곤) 고마워요 선배.

               (밖으로 나갈 준비하는)

아라   갑자기 어디 가게?

정   개자식 잡으러요. (밖으로 나가는)

S#37	**로펌 강산 앞 (낮)**

               끼익 멈춰 서는 정의 차.

               차에서 내리는 정.

               성큼성큼 강산 건물 향해 걸음 옮긴다.

S#38	**서현규 대표실 (낮)**

               쾅 문을 박차고 안으로 들어오는 정.

               책상을 보면, 아무도 없다.

               곧이어 안으로 따라 들어오는 비서(30대 남).

비서   이러시면 안 됩니다! 당장 나가세요!

정   어딨어.

비서	계속 이러시면 경찰 부를 수밖에 없습니다.
	당장 좋은 말로 할 때... (하는데)
정	(비서의 먹살 붙잡는, 살기 어린) 서현규 어딨냐고!
비서	(숨 막혀 캑캑대고)
정	(비서 먹살 잡고 벽으로 밀어붙이는) 말해.
비서	저희도 대표님 비공식 스케줄에 대해선 모릅니다.
	그건 서지한 변호사님 밖에는...
정	(서늘한 표정에서)

S#39 **룸살롱 복도 (밤)**

성큼성큼 복도를 걷는 정.

S#40 **룸살롱 룸 안 (밤)**

벌컥 문 열고 안으로 들어오는 정.
호스티스와 함께 술을 마시고 있던 지한,
정을 보곤,

지한	(실실 웃으며) 아이고 이게 누구야?
	그 유명한 진 검사님이시네?
정	(호스티스에게) 나가세요.
여자	(눈치 보며 일어서려 하면)
지한	앉아!!
정	검찰입니다. 괜찮으니까 나가세요.

호스티스 밖으로 나가면, 딸깍 문 잠그는 정,
지한에게 다가가 테이블 위 핸드폰을 집는다.

지한   뭐 하는 거냐?

무시하고 핸드폰 통화 목록 중 **'아버지'**를 찾는 정.
전화를 건다.
"고객님의 전화기가 꺼져 있어 삐 소리 후..."

지한   이 새끼가 미쳤나...!
정   어딨어.
지한   뭐?
정   두 번 말 안 해. 니 아버지 어딨어.
지한   난 또 뭐라고.
            (놀리듯 웃는) 왜? 이제라도 아버지한테 빌어 보시게?

지한의 머리채를 붙잡는 정.
지한의 머리를 연속해 테이블에 내려찍는다.
쾅! 쾅!

정   (지한의 머리 테이블에 짓이기며) 말해. 서현규 어딨어.
지한   왜 그렇게 화가 많이 나셨어. 걔 때문에 그래?
            니네 실장인가 뭔가?
정   (지한 노려보고)
지한   걔 죽었다며. 머리 이렇게 맞아 가지고 응?

밖에서 문을 두드리는 종업원들.
"무슨 일입니까?!" "문 여세요 당장!" "키 갖고 와!"

지한 그러게 눈치껏 좀 하지 그랬어.
     알아서 기었음 이런 일도 없었잖아.

정   (지한 보는데)

지한 좋게 좋게 생각해.
     그 사람 처자식 만난 거잖아 얼마나 좋아.
     (놀리듯 웃는) 명복은 빌어 줄게.

     끝내 폭발하고 만 정.
     확 테이블을 엎곤 지한에게 주먹을 날린다.
     퍽! 바닥에 나가떨어지는 지한.
     쓰러진 지한의 위에 올라타 마구 주먹을 날리는 정...!
     문을 열고 안으로 들어오는 종업원들.
     황급히 정을 지한에게서 떼어 놓는다.
     피투성이가 된 채 고통 어린 신음 지르는 지한.

정   니 아버지한테 똑바로 전해.
     당신 살인 증거 내가 갖고 있다고.

지한 ...!!

     거칠게 숨 몰아쉬며
     죽일 듯 지한 노려보는 정의 모습에서.

S#41   **거리 (낮)**

걸음 옮기며 핸드폰 통화 중인 현규.

현규   그래요? 진정이 그 친구가 갑자기 왜 그랬대?
         ...아유 아닙니다. 징계위원회에서 결정할 걸
         제가 왈가왈부해서 되나요.
         그저 다음에 또 이런 일이 일어나지 않도록만,
         잘 결정 부탁드립니다.

         웃음 지으며 핸드폰 내리는 현규.
         어느 헌책방 앞에서 걸음 멈춘다.

S#42   **검도장 (낮)**

         아무도 없는 검도장.
         호구와 장비 갖춘 채 죽도로 타이어를 때리고 있는 한 남자.
         어느 순간 자리에 정좌하는 남자.
         쓰고 있던 호구를 벗으면, 정이다.
         심호흡하며 호흡을 가다듬는 정.
         그 옆엔 징계 처분 통지서가 놓여있다.
         '중앙 지검 민원봉사실 검사 진정
         - 해임을 위한 정직에 처함.'

S#43   **민원봉사 사무실 (낮)**

기가 찬 얼굴로 서 있는 아라.
맞은편엔 정이 박스에 짐들을 싣고 있고.

아라   그 힘들다는 해임을 여기서 보네.
                대단해요 진 검사님, 드디어 해냈구나.

정   (피식 웃는) 걱정이죠?

아라   웃음이 나오냐?
                당장 사무실 문 닫고 옷 벗게 생겼는데 웃음이 나와?
                대체 어쩌자고 거기서 그렇게 주먹질을...!

정   속은 시원하잖아요.

아라   내 속은 문드러지거든? 어떻게 할 거야 이제.

정   (박스 닫으며) 만나 봐야죠. 한때는 서현규 최측근.

S#44   **구치소 복도 [낮]**

교도관과 함께 걸음 옮기는 김태호.

S#45   **구치소 특별 면회실 [낮]**

소파에 앉아 있는 정.
잠시 후 김태호가 안으로 들어온다.
정, 교도관에게 고개 끄덕이면,
밖으로 나가는 교도관.

김태호   (소파 맞은편에 앉는) 우리 얘긴 끝난 걸로 아는데.

정	실장님이 살해당했습니다.
김태호	!!
정	서현규의 범행이라 판단하고 있습니다.
김태호	(충격으로 정 보는)
정	관련 증거는 갖고 있지만
	이거 하나론 어려울지도 모릅니다.
	지검장님이 실장님한테 MP3 하나론
	서현규 잡기 어려울 거라 말씀하신 것처럼요.
김태호	(정 보는)
정	서현규에 대해 따로 아시는 게 있다 들었습니다.
	그게 뭔지 저한테 알려 주셨으면 합니다.
김태호	(픽 냉소하고)
정	부탁드립니다. 실장님 죽음을 헛되게 하지 말아 주십쇼.
김태호	**뻔뻔한 새끼. 이제 와서?**
정	(보는)
김태호	걔가 나한테 그러더라. 니가 말을 안 듣는대.
	니가 자기 같은 꼴 당할까 봐 걱정돼 죽겠는데,
	뭔 말을 해도 안 들어서 자기가 아주 골치가 아프대.
정	(표정)
김태호	니가 재경이 말만 들었어도 그 자식 그렇게 안 됐어.
	무슨 말인지 알아? 너 때문이야 진 검사.
	니 그 쓸데없는 독단과 오기가 이장원 차장이랑
	재경이 전부를 죽인 거라고 알아?
정	알고 있습니다.
김태호	...!!

정	인정하고 있습니다.
	이유는 제쳐 두고
	차장님이나 실장님 전부 제가 경솔했습니다.
김태호	(정 보는)
정	그래서 더 물러서지 않을 겁니다.
	여기서 포기하면 그거야말로…
	차장님이나 그 바보 같은 아저씨…
	진짜 바보로 만드는 일이니까요.
김태호	(바라보고)
정	저 이대로 못 끝냅니다. 억울해서라도 끝까지 갈 겁니다.
	모조리 다 파헤쳐서 감방에 전부 처넣을 겁니다.
김태호	아니. 여기서 끝내.
정	…!!
김태호	그게 그나마 너랑 나 사는 길이야.
	…미안하다. (일어서는데)
정	서현규를 왜 그렇게 두려워합니까.
김태호	(멈칫)
정	전 그 사람이 무섭지 않습니다.
	저는 검사고 검사가 무서워해야 할 건
	오직 정의와 국민뿐이니까요.
김태호	(정 보는)
정	검사의 의무는 나쁜 놈들을 잡는 겁니다.
	죄지은 놈들이 검사를 무서워해야지
	검사가 그놈들을 무서워한다?
	세상에 그런 법은 없습니다.

　　　　　　　...지검장님은 어떻습니까. 여전히 검사십니까?

김태호　　　　(표정)

정　　　　　　지검장님 도움이 필요합니다.

　　　　　　　(고개 숙이는) 도와주십쇼.

김태호　　　　(고민하다가, 결국)

　　　　　　　지금까지 아무도 서현규를 건드리지 못한 이유.

정　　　　　　(김태호 보면)

김태호　　　　서현규한텐... 서고라는 게 있어.

S#46　　　　**몽타주**

　　　　　　　/ 헌책방 (낮)

　　　　　　　안으로 들어오는 현규.

　　　　　　　카운터에 앉아 있던 노인(80대 남),

　　　　　　　힐끔 현규를 일별하곤 다시 책을 읽는다.

　　　　　　　쌓여 있는 책들과 책장 지나쳐

　　　　　　　안쪽으로 걸음 옮기는 현규.

김태호(소리)　서현규는 의뢰인을 그냥 무죄로 만들어 주지 않아.

　　　　　　　재판은커녕 아예 조사조차 받지 않게 만들어 줘.

　　　　　　　지금까지 이 나라 수많은 권력자들이

　　　　　　　자기와 가족의 죄를 없애기 위해 서현규를 찾았고...

　　　　　　　/ 헌책방 내부 비밀 공간 (낮)

　　　　　　　서고 안으로 들어오는 현규.

방 안을 가득 채우고 있는 책장.

빼곡히 꽂혀 있는

정·재계 권력자들의 이름과 비리가 적힌 서류철들 바라본다.

김태호(소리) 서현규는 자신이 덮은 유죄의 증거들을 이용해

그들 목에 목줄을 걸었어.

그들은 뒤늦게 그걸 알았지만 이미 너무 늦은 후였고...

그렇게 서현규는 권력자들의 주인이 됐어.

/ 고급 한정식집 룸 (낮)

긴장한 듯 자리에 앉아 있는 금배지 단 의원들.

잠시 후 문이 열리고, 현규가 들어온다.

일제히 일어서 구십도 인사를 올리는 의원들.

비어 있는 상석에 가 앉는 현규,

의원들에게 앉으라 손짓.

현규 에... 오늘 제가 여야 의원님들을 모신 건...

(이야기 시작하고)

의원들 (현규의 말 경청하고)

김태호(소리) 이 나라 주인은 국민이 아니야.

서현규 대표야.

S#47 **구치소 특별 면회실 (낮)**

마주 앉아 있는 정과 김태호.

김태호	서고는 서현규의 무기이자 권력 그 자체야.
	그걸 찾아 세상에 터뜨리지 않는 한...
	그 인간 무너뜨릴 방법 없다.
정	서고가 어디 있는진...?
김태호	(무거운 얼굴로 고개 젓는) 쉽게 누굴 믿지 않는 인간이야.
	자기 혈연이라면 또 모를까.
정	...도움 주서서 감사합니다.
	(일어서 나가다 멈칫, 김태호 보는) 조만간 서현규 잡고...
	지검장님을 재판에 증인으로 부르겠습니다.
김태호	(작게 고개 끄덕이고)
정	연락드리겠습니다. (밖으로 나가는데)
김태호	진 검사, 서현규... 반드시 꼭 잡아.
정	그럴 겁니다.

밖으로 나가는 정. 문이 닫힌다.

혼자 남은 김태호. 작게 한숨 내쉬는 모습에서.

S#48   **구치소 주차장 (낮)**

자신의 차에 올라타는 정.

조수석엔 비닐 팩에 담긴 정의의 여신상이 놓여 있다.

차에 시동 걸려는 그때, 진동 울리는 핸드폰.

모르는 번호다.

정	(전화 받으면)

| 현규(소리) | 서현규입니다. |
| 정 | ...!! |

S#49   공원 (낮)

기 체조를 하고 있는 중년 남녀들.
그들 사이에서 함께 운동하고 있는 현규.
한쪽에 서서 그 모습 어이없게 바라보는 정.
현규, 정에게 잠깐만 기다려 달라 눈짓하고.

(경과)
산책하듯 나란히 걸음 옮기고 있는 정과 현규.

현규	검사님 사건 증거 찾으셨다고.
정	(피식) 서 대표님 많이 쫄리시나 보네.
	증거 하나에 먼저 이렇게 독대할 기획 주시고.
현규	어쩔 생각이에요?
	검사님 정직 먹어서 나 잡지도 못하잖아.
정	검사가 나 하나만 있는 건 아니라서.
현규	(여유 있게 미소 짓는) 난 검사님 다른 건 다 마음에 드는데...
	딱 하나가 아쉽더라.
정	(현규 보는)
현규	검사님은 뭐랄까.. 사람이 너무 좋아.
	그래도 그만큼 약점도 많고.
정	(무슨 말인가 싶은데)

| 현규 | 신아라 검사 저 못 잡아요. |
| | 물론 검사님 옆에 친구들도… 전부 마찬가지고. |

걸음 멈칫하는 정. 설마 싶은 얼굴로 현규 바라본다.
그런 정을 여유롭게 바라보는 현규.

S#50   몽타주

/ 중도의 가게 (낮)

먼지 쌓인 카메라와 렌즈들 닦고 있는 중도.
그때 갑자기 안으로 들이닥치는 형사들.

형사1	고중도 씨?
중도	(형사들 분위기 살펴보다) 어… 아닌데요?
형사1	(핸드폰 꺼내 조작, 중도와 핸드폰 번갈아 보다가) 맞네.
	경찰입니다. 같이 좀 가 주시죠.
중도	…!!

/ 거리 노점상 (낮)

오뎅을 먹고 있는 은지.
잠시 후 형사들이 은지에게 다가와 경찰 신분증을 보여 준다.
오뎅 입에 문 채 형사들 바라보는 은지.

/ 민원봉사 사무실 앞 (낮)

폐쇄 공고문이 붙어 있는 사무실 문.

당황스레 공고문 바라보는 철기.
그때 철기에게 다가오는 한 무리의 양복들,
감찰과 신분증을 보여 주고.

/ 아라의 사무실 (낮)
자리에 앉아 있는 아라.
잠시 후 감찰과들이 사무실로 들이닥친다.
그 모습 당황스레 바라보는 박 수사관과 윤 사무관.

감찰1 (아라의 앞에 서서, 감찰과 신분증 보여 주는) 대검 감찰부입니다.
같이 가 주시죠.

아라 (픽 냉소 터뜨리는) 돌겠네...

S#51 **공원 (낮)**

서로를 바라보며 서 있는 정과 현규.

정 당신 상대 나야. 선배랑 애들은 건들지 마.

현규 (피식) 그렇게 와 닿진 않는 얘기고,
여기서 화해하는 건 어때요?
난 그게 우리 둘이 윈윈하는 길 같은데.

정 (보는)

현규 한 가진 확실하게 약속드릴게요.
여기서 제 손 안 잡잖아요?
검사님 친구들 10년 이상 살게 될 거예요.

정	...!!
현규	못 한다 하지 마세요 전 할 수 있으니까.
	검사님도 나 누군지 알잖아.
정	(긴장해 현규 바라보는데)
현규	친구들 살리세요. 원하면 형사부 복귀도 시켜 드릴게요.
	아님 이 기회에 내 사람이 돼도 좋고.
정	(보다가, 결국 시선 내리는) 알겠습니다. ...라고 할 줄 알았냐?
현규	(살짝 놀라 정 보는) 이럼 내가 서운한데...
정	이딴 같잖은 협박에 굴할 거였으면 여기까지 오지도 않았어.
	(냉소로) 당신 마음대로 해 봐.
	어차피 칼자루는 나한테 있으니까.
현규	(피식, 놀리듯) 그럼 지금 잡아가던가.
정	금방 다시 올게. 기다려. 얼마 안 걸려.

현규 바라보다가 걸음 옮기는 정.
그런 정 서늘한 얼굴로 바라보는 현규.

S#52 　　공원 주차장, 대검찰청 복도 교차 (낮)

자신의 차에 올라타는 정.
핸드폰에서 '신아라 선배'를 찾는다.

정	(미안한 마음에 잠시 있다가, 핸드폰 전화 거는)

대검찰청 복도.

감찰과 사무실 향해 걸음 옮기고 있는 아라와 감찰과들.
그때 울리는 핸드폰 진동. 아라 보면, 정에게 온 전화다.

아라	(감찰들에게) 잠깐만요. (걸음 멈추고 핸드폰 받는) 어.
정	저예요 선배. 괜찮아요?
아라	(뿌루퉁) 괜찮을 리가 있냐 당장 옷 벗게 생겼는데?
정	미안해요 괜히 나 때문에.
아라	(픽 웃는) 그러게. 처음부터 너랑 엮이는 게 아니었는데.
	서현규가 꾸민 짓이지?
정	솔직하게 얘기할게요. 잘하면 선배 징역 살지도 몰라.
아라	…!!
정	선배 검찰총장 꿈… 포기해야 될지도 모르고.
아라	(표정)
정	(조수석에 놓인 정의의 여신상 바라보는) 정말 미안한데
	저 여기서 서현규 대표 못 놓쳐요.
	어떻게든 저 인간 잡고 선배랑 애들 빼 줄 테니까…
	(하는데)
아라	진정. 너 자꾸 쓸데없는 소리 할래?
정	(표정)
아라	까짓거 별 하나 달면 그만이야.
	걱정하지 말고 무조건 그놈 잡아.
정	오래 안 걸립니다. 좀만 참아요.
아라	(핸드폰 내리는, 감찰과들에게) 갑시다. (먼저 성큼성큼 걸음 옮기고)

핸드폰 내리는 정.

그때 들리는 똑똑 차창 두드리는 소리.
정 고개 돌리면, 지한이다. 멈칫 표정 놀라는 정.
그 순간 뒷좌석에서 확 정의 얼굴을 덮치는 보자기...!

S#53   **폐건물 (밤)**

의자에 몸이 묶인 채 앉아 있는 정.
서서히 눈을 뜬다. 대체 여기가 어딘가 싶은데,

지한(소리)   정신이 드냐?

정 앞을 보면, 지한과 양복들 다섯 정도가 서 있다.
지한은 손에 비닐 팩에 담긴 정의의 여신상을 들고 있고.

지한   (정에게 다가가) 축하해 진 검사.
            좀 있으면 니 실장 만나겠네?
정   (애써 여유 있게 웃음 짓는) 22세기까지 살 거거든?

픽 냉소하는 지한.
시계를 풀어 너클을 끼듯 손가락에 끼운다.
힘껏 정에게 주먹 날리는 지한. 퍽-!

S#54   **대검찰청 복도 (밤)**

감찰과 사무실 문 열고 밖으로 나오는 아라.

철기	(아라에게 다가와) 검사님.
아라	감찰이 확실히 빡세긴 하네요. 수사관님은 어땠어요?
철기	내일 마저 조사 받기로 했습니다.
아라	중도 씨랑 은지 씨는?
철기	경찰서 유치창에 있는 걸로 알고 있습니다.
	근데 한 가지 염려되는 게...
아라	(??, 철기 보면)
철기	진 검사님 연락이 안 되고 있습니다.
아라	진 검사가요?
철기	예. 그리고 민구 씨 말론
	진 검사님 차가 공원 주차장에서 발견됐다 합니다.
	진 검사님은 아무리 찾아도 없다 하고요.
아라	아까 나랑 통화할 땐 서현규를 만나고 있다 했는데...
	(잠시 생각하다가 멈칫, 번뜩 떠오른 생각에 철기 보는)
	설마 진 검사...

놀란 얼굴로 서로를 바라보는 아라와 철기.

S#55   **경찰서 (밤)**

각각 따로 유치장에 갇혀 있는 중도와 은지.

중도	내가 언제 한번은 이럴 줄 알았다.
	(벌러덩 드러눕는) 아오 내 팔자야
	내가 전생에 뭔 죄를 지었다고...

은지	(벽에 기대앉은 채, 걱정스런) 진검은 무사하겠지?
중도	열녀 났다 열녀 났어. 아주 그냥 성춘향 나섰네.
	(벌떡 상체 일으키는) 근데 넌 왜 그렇게 진형 좋다고
	따라다니는 거야? 뭐 돈이라도 꿨어?
은지	(부끄럽다는 듯 미소 지으며) 생명의 은인.
	(표정 아련해지며) 육 개월 전이었나?
	나 다른 조직에 잡혔을 때... (하는데)
중도	(유치장 밖보곤) 신 검사니이이임!!
은지	(고중도 저걸 콱 그냥!)

유지창으로 다가오는 아라와 철기, 형사1.

아라	두 사람은 지금부터 저희가 담당합니다.
형사1	그건 곤란하죠. 저희 쪽 피의자를 무슨 권리로요.
아라	극비리 내사 중인 사건의 중요 참고인들입니다.
	당장 문 여세요.
중도	(엥? 철기 보면)
철기	(조용히 해라 눈짓하고)
형사1	아무리 그래도 이건 좀... (난감한데)
중도	이건 좀은 무슨 얼어 죽을!
	당신 지금 우리가 무슨 참고인인 줄 알아?!
	이거 당신 수사 방해야 이 양반아!
형사1	(갈등하는)
아라	괜히 밥그릇 챙기려다 옷 벗는 수가 있습니다.
	문제 심각해지기 전에 열쇠 꺼내세요.

어쩔 수 없다는 듯 주머니에서 열쇠 꺼내는 형사1.
유치장 문을 연다.
몰래 안도하는 아라와 철기.

S#56   **경찰서 밖 (밤)**

밖으로 나오는 아라와 철기, 중도와 은지.
세 사람 아라의 차 향해 걸어가며,

은지   (놀란) 진검이 납치?
중도   (역시 놀랍긴 마찬가지고) 누구한테?
철기   둘 중 하난 확실합니다.
          서현규 대표거나 서현규 대표가 시켰거나.
은지   (자기 핸드폰 조작하는)
아라   빨리 진 검사 있는 델 찾아야 돼요.
          문제는 그걸 어떻게 찾냐는 건데... (난감하다는 듯 한숨 내쉬는데)
은지   (자기 핸드폰 보여 주는) 이거.

세 사람 보면, 은지의 핸드폰, 커플 어플 위치 추적이 떠 있다.

중도   커플 어플이잖아. (화들짝 놀라) 진형이랑 사귀어?!
은지   아직은.
중도   사귀지도 않는데 왜 이걸 (하다가 바로) 몰래 깔았구나.
철기   제가 알기론 중도 씨한테도 어플 깐 걸로...
아라   양다리네. 일단은 나이스 잘했어요. 바로 출발하죠.

아라의 차에 올라타는 네 사람.

S#57   **폐건물 (밤)**

몇 번이고 계속해 정에게 주먹을 날리는 지한.
어느 순간 주먹 멈추면, 만신창이가 된 얼굴의 정,
힘없이 고개를 숙인다.

지한   (주먹이 아픈지 이리저리 흔들며) 새끼가 이제야 눈을 까네.
         오래 버텼다.
정   (입에서 걸쭉한 피 주르륵 떨어지고)

그때 한 사람이 안으로 들어온다.
천천히 걸음 옮겨 정의 앞에 서는 누군가.
정 고개 들어 보면, 서 있는 한 사람, 현규다.

현규   (쯧쯧쯧...) 얼굴이 많이 맞으셨네.
정   (힘겹지만 의지 어린) 지금까지 혐의들에...
         납치 및 폭행 사주 추가.
현규   마음 돌릴 생각 정말 없어요? 나 검사님 아쉬워서 그래.
정   (힘겹게 웃는) 엿이나 드셔.
현규   이쯤 되니까 궁금해지네.
         뭐가 우리 진 검사님을 이렇게 만들었을까?
정   가정 교육.
현규   (보는)

정	우리 아부지가 맨날 하던 말이 있어.
	(쿨럭 피 섞인 기침 토하곤) 그땐 촌스럽다 생각했는데,
	그거만큼 맞는 말도 없더라. ...부정은 정을 이길 수 없다.
현규	사불범정. ...검사님은 자기가 맞다 생각하세요?
정	(힘겹게 숨 내쉬고)
현규	살다 보니까 느낀 건데...
	정말 위험한 건 악이 아니라 정의더라고.
	악엔 죄책감이 따라오는데 정의엔 그게 없어.
	정의만 있다면 남한테 뭔 짓을 하던 괜찮다 생각해.
	끝까지 몰아붙이고 무슨 상처를 주든 상관없다,
	나는 정의니까 옳다.
정	(현규 바라보고)
현규	사람이 가장 잔인해질 때가 언젠지 알아요?
	자기가 정의라 믿을 때예요.
	빗나간 정의감으로 자기만 옳다 생각하는 그거,
	오만이에요 진 검사님.
정	착각을 심하게 하시네 서 대표님.
	난 한 번도 내가... 내가 옳다 한 적 없어.
현규	(정 보는)
정	난 그냥 당신 같은 사람들을 용서할 수 없을 뿐이야.
	쓰레기를 치우기 위해선 누군간 손을 더럽혀야 하고...
	당신이 틀렸다는 건 확신하고 있으니까.
현규	(피식 미소 짓고)
정	나 지금 되게 아프거든? 말할 기운 없으니까 가쇼.
현규	...그동안 재밌었어요. (지한에게) 정리하고 연락해.

정의의 여신상 챙겨 밖으로 나가는 현규.
그런 현규 노려보는 정의 모습에서.

S#58   **아라의 차 안 (밤)**

도로를 달리는 아라의 차.
운전석엔 철기, 조수석엔 아라.
뒷좌석엔 중도와 은지가 앉아 있다.
초조한 얼굴 표정의 네 사람.

S#59   **폐건물 (밤)**

정에게 세차게 주먹을 휘두르는 지한. 퍽-!
의자에 묶인 채 바닥에 쓰러지는 정.
정신 잃기 일보 직전의 모습.

지한   (서 있던 양복에게) 야.

지한에게 커다란 해머를 건네주는 양복.

지한   너랑 더 놀아 주고 싶은데, 내가 좀 바빠서.
정   (더 이상 어떤 말도 안 나오고)
지한   잘 가라.

정의 머리를 조준하며 힘껏 해머를 치켜드는 지한. 그때!

아라(소리)   오케이 거기까지!

지한과 양복들 뒤돌아보면, 안으로 들어오는 사람들,
아라와 철기, 중도와 은지다!

아라   중앙 지검 형사 3부 신아라 검사입니다.
서지한 씨 포함 여기 계신 분들 전부,
납치 및 폭행 현행범으로 긴급 체포...

하다가 멈칫,
피투성이에 엉망진창 몰골이 된 정을 보며
표정 얼어붙는 아라. 철기와 중도 은지.

아라   (충격이고) ... 진 검사.
정   (아라 바라보고)
아라   (정 보다가, 세 사람한테, 서늘한) 지금부터 일어나는 일...
전부 제가 책임집니다.

서늘한 얼굴의 철기와 은지, 앞으로 나선다.
중도도 용기 내어 앞으로 나선다.

아라   다 죽여 버리세요.

으아아 소리 지르며
양복들에게 달려드는 철기와 은지, 중도!

양복들과 격렬한 격투를 벌이는 세 사람.
그 사이 아라, 급히 정에게 달려가 묶인 줄을 풀어 준다.

아라   진 검사 괜찮아? 정신 차려 봐 진정.

정 힘겹게 눈 뜨고 보면,
도망치는 지한의 모습이 보이고.

S#60   **폐건물 밖 일각 (밤)**

멈춰 서 있는 자신의 차 향해 빠르게 걸음 옮기는 지한.
뒤돌아보면, 자신을 따라오고 있는 정과 아라가 보이고.
질린 듯 정 바라보다가 차에 올라타는 지한.
다급하게 차를 출발시킨다.

아라   (자신의 차 앞에 서서) 진검!
정   (아라의 차 향해 다가가) 저놈은 제가 맡을게요.
      선배는 여기 마무리 좀 해 줘요.
아라   (정 상태 보곤) 괜찮겠어?
정   갔다 올게요.

아라의 차에 올라타는 정.
지한의 뒤를 쫓아 차 출발시키고.

S#61   **도로 (밤)**

빠른 속도로 도로를 달리는 지한의 차.
아라의 차에 타 있는 정
그 뒤를 바싹 쫓아가고...!

S#62 **도로2 (밤)**

꾸욱 엑셀을 밟는 정. 지한의 차를 추월해 달려 나간다.
갑자기 핸들을 확 틀어 지한의 차 가로막으면,
어쩔 수 없이 끼익!
브레이크를 밟으며 멈춰 서는 지한의 차.
차에서 내리는 정. 걸어가 지한의 차 문을 연다.
확 거칠게 지한을 당겨 내면,

지한   (주춤주춤 바닥 기며 물러서는) 잠깐만, 잠깐만 진 검사.

정   (천천히 지한 따라가고)

지한   우리 같은 법조인이잖아.

        진정하고 우리 말로, 말로 합시다 응?

정   니들 같이 말로 하잔 놈들 문제가 뭔지 아냐?

        말이 안 통해 여기까지 왔단 걸 생각을 못해.

지한   (정 바라보고)

정   그런 놈들한텐 뭐가 약이다? 매가 약이다.

지한의 얼굴에 세차게 주먹을 날리는 정!
퍽! 그대로 기절하는 지한.
지한의 몸을 깔고 앉는 정.

얼굴이며 몸이며 안 쑤신 데가 없다.
밤하늘 바라보는 모습에서.

S#62-1   **추가 씬, 폐건물 밖 일각 (밤)**

밧줄에 묶인 채 앉아 있는 양복들.
그들과 조금 떨어진 일각,
서 있는 정과 아라, 철기와 중도 은지.

아라   … 서고?
정   서현규를 확실하게 잡을 수 있는 카드.
        김태호 지검장이 저한테 한 말이 사실이라면요.
철기   그 사람 말을 믿어도 되는 걸까요?
        그래도 옛날엔 서현규 대표 오른팔이었던 사람인데...
아라   사실인지 아닌지부터 확인해 봐야겠네.
중도   근데 그걸 어떻게? 그게 어딨는지도 모르잖아.
은지   단서가 너무 없어. 방법 있어?
정   저기 있네. (아라의 차 트렁크 바라보는)

사람들 정의 시선 따라가 보면,
열려 있는 트렁크 안, 기절한 지한의 모습 보이고...

S#62-2   **추가 씬, 개인 병원 입원실 (낮)**

침대에서 눈을 뜨는 지한. 주변 둘러보면,

어느 허름한 개인 병원 입원실이다.
손과 침대를 연결한 수갑을 바라보는 지한.
그 앞엔 정이 의자에 앉아 있고.

지한   너 이 새끼 여기 어디야.

정   며칠 잠들어 있었어.

          (민망한) 내가 너를 좀 세게 때려서.

지한   며칠?

정   오래되진 않았어. 오늘이 10월 25일이니까 일주일 정도.

탁자 위 달력을 보는 지한.
10월 18일부터 일주일 동안 엑스 표시가 되어 있다.

지한   !!

정   (가볍게) 그리고 니네 아버지 잡혔다. 지금 구치소에 있어.

지한에게 자신의 핸드폰을 보여 주는 정.
뉴스가 나오고 있다.
밤, 어느 건물 앞에서 기자들과 인터뷰를 하고 있는
아라의 모습. 영상 밑엔 자막이 떠 있다.
'로펌 강산 서현규 대표, 구속 영장 발부.
서울구치소 수감.'

아라   서현규 대표에 대한 구속 영장을 발부해 준
          법원의 판단에 환영을 표하는 바입니다.

저희 검찰은 법과 원칙에 따라

철저하게 수사해 나갈 것입니다.

지한   (얼어붙고)

정   (핸드폰 가져가며) 나쁜 소식 하나 더.

니네 아버지가 그러더라.

지금까지 일들 전부 니가 꾸민 거라고.

지한   ...!!

정   (냉소) 대단해 서 대표.

자기 살겠다고 아들내미를 보내 버리네.

지한   (떨리는) 웃기지 마. 아버지가 그럴 리 없어.

정   니 표정은 아닌 거 같은데.

(자기 핸드폰 건네주며) 오도환이랑 서 대표

메신저 대화 내용 확보했어.

우리 쪽에 능력자가 좀 있거든.

지한 핸드폰 보면,

현규와 도환이 나눈 메신저 대화 내용이 보인다.

도환, '서초동 살인사건은 어떻게 할까요.'

현규, '무슨 소리지? 걔가 독단으로 저지른 일이잖아.'

'알겠습니다.'

'나머지 혐의에 대해서도 그렇게 정리해. 지한이 소재는?'

'파악 중입니다.'

'빨리 파악해서 경찰에 넘겨. 그래야 내가 살아.'

지한   (충격적인) 아냐... 말도 안 돼.

정	그건 니 생각이고.
	정신 차렸음 가자. 일어날 수 있지? (수갑 열쇠 꺼내는)
지한	잠깐, 잠깐만 진 검사.
정	(수갑 풀려다 멈칫, 지한 보는)
지한	나 절대 아니야.
	난 박예영... 그래 걘 내가 죽였어 인정해.
	근데! 다른 건 아니야. 내가 한 게 아니라고!
정	나도 아는데 어쩌겠냐.
	니 주장 입증할 증건 서 대표가 마사지 다 끝내 놨는데.
지한	(미치겠고)
정	근데 까놓고 니가 무슨 죄냐,
	다 그냥 니 아버지가 시켜서 한 건데.
	내가 살 길 알려 줘?

품에서 뭔가를 꺼내 보여 주는 정.
지한 보면, 비행기 티켓이다.

정	난 너 같은 잔잔바리 관심 없어.
	내가 원하는 건 딱 한 사람이니까.
지한	내가 널 어떻게 믿지?
정	다른 방법 있어? 지금은 내가 니 예수야 서지한.
지한	(정 보는, 표정)
정	(메모지와 펜 건네는) 적어. 니 아버지 서고 위치.

갈등하다가 결국 펜을 잡는 지한.

헌책방의 주소를 쓰기 시작한다.
비행기 티켓과 메모지를 교환하는 정과 지한.

지한   수갑도 풀어 주지? 나도 이제 나갈 준비 해야 되고...

하다가 멈칫, 자세히 비행기 티켓을 보는 지한.
티켓 날짜, 10월 18일이다.
급히 자신의 핸드폰을 보는 지한.
핸드폰 날짜, 10월 18일이다.

정(소리)   오늘이 10월 25일이니까 일주일 정도.

당황스레 정을 바라보는 지한.
문득 입원실 한쪽에서 설치되어 있는 TV를 본다.
TV 전원부, 붉은 점이 깜빡이고 있다.
지한 리모컨으로 TV 켜면,
자신을 찍고 있는 카메라 영상...!

정   이제 알았냐? 감이 좀 느리시네.

S#62-3   **추가 씬, 컨테이너 박스 밖 (낮)**

밖으로 나오는 정.
이제야 드러나는 개인 병원 입원실의 정체,
휑한 공터 한 가운데 서 있는 컨테이너 박스다!

결연한 얼굴로 걸음 옮기는 정의 모습에서.

S#63   **정의 차 안 (낮)**

도로를 달리는 정의 차. 서늘한 얼굴로 운전 중인 정.
조수석엔 비닐 팩에 담긴 정의의 여신상이 놓여 있고.

S#64   **헌책방 앞 (낮)**

멈춰 서는 정의 차. 차에서 내리는 정.
잠시 헌책방 바라보다가 걸음 옮긴다.

S#65   **헌책방 (낮)**

안으로 들어오는 정.
카운터에 앉아 있던 노인,
무심히 정을 보다가 다시 책으로 시선 옮기고.
천천히 주변 살피며 안쪽으로 걸음 옮기는 정.
어느 순간 멈칫, 바닥을 보면,
책장을 밀고 당길 때 생긴 듯 길게 긁힌 자국이 보인다.
한편, 카운터에 앉아 있는 노인,
핸드폰 들어 어딘가 전화를 걸고.

S#65-1   **추가 씬, 서현규 대표실 (낮)**

핸드폰 통화 중인 현규.

그 앞엔 도환이 서 있고.

얼어붙은 얼굴로 핸드폰을 내리는 현규.

책상 서랍 안에서 고급스런 박스를 꺼낸다.

박스 안 열면, 총과 총알이 들어 있다.

도환   …!!

현규   (박스 안 내용물 바라보는, 서늘한 얼굴 표정에서)

S#66   **헌책방 내부 비밀 공간 (낮)**

안으로 들어오는 정. 서고를 둘러본다.

방 안을 가득 채우고 있는 책장.

그 안엔 서류철과 파일들이 연도별로 빼곡히 꽂혀 있다.

책장 안 서류철들 살피며 걸음 옮기는 정.

'영한 그룹 김성표 전무 음주 뺑소니'

'민국당 이재호 원내대표 성 상납'

'경성일보 고재효 사장 병역 비리'

'윤태무 경찰청장 뇌물'

'성수 그룹 조민섭 회장 가정부 살해' 등

대한민국 정·재계 권력자들의 직함과 이름,

사건이 적힌 서류철 표지들이 계속해 나온다.

문득 걸음 멈추는 정.

'중앙 지검 박재경 검사' 파일이 보인다.

책장에서 파일을 꺼내는 정.

S#66-1 **추가 씬, 헌책방 앞 (낮)**

급히 멈춰 서는 현규의 차.
심각한 얼굴로 헌책방 향해 걸음 옮기는 현규와 도환.

S#66-2 **추가 씬, 헌책방 내부 비밀 공간 (낮)**

서고 안을 둘러보고 있는 정.
잠시 후 현규와 도환이 안으로 들어온다.

현규   (정 노려보면)
정   표정이 많이 당황하셨네. 살아서 미안하게 됐수다.
현규   진 검사님 운이 좋으시네.
정   서 대표님은 박복하시고. 걸려도 하필 나한테 걸려서.
현규   여긴 어떻게 아셨어요?
정   (지한의 핸드폰 들어 전화 거는)

잠시 후 진동 울리는 현규의 핸드폰.
현규 보면, '**지한**'에게 온 전화다.
'**아버지**'에게 전화 중인 지한의 핸드폰 보란 듯 흔드는 정.
짜증스레 한숨 내쉬는 현규이고.

정   (서고 둘러보는) 만드느라 고생 좀 했겠네?
현규   보신 소감은요?
정   뭐 그닥... 생각보단 별로.

현규	고마워요 여기까지 와 주셔서.
정	(현규 보면)
현규	덕분에 내가 수고를 덜었어. 오 변호사?

현규의 앞에 나서는 도환.
품에서 총을 꺼내 정을 겨눈다.

정	...!!
도환	(정에게, 씁쓸한) ... 미안하다.
정	(도환 보다가) ... 진짜 이럴 거냐?

서로를 바라보는 정과 도환.
그런 두 사람을 바라보는 현규인데,
어느 순간 쓱 총을 거두는 도환.
총구를 돌려 현규를 겨눈다...!

현규	(의외라는 듯 놀랐다가, 이내 픽 웃음 짓는) 얘들 재밌네.
정	히든카드다 개새끼야.

각각의 표정으로 서 있는 정과 도환, 현규.
세 사람의 모습에서...!!

- 11화 끝 -

episode 12

드디어 시작된 정과 서현규의 마지막 싸움. 법과 정의, 나쁜 놈은 벌을 받는 거란 지극한 상식을 위해 정은아라와 친구들 모두와 함께 서현규를 잡을 작전을 꾸민다.
"한번에 쳐서 제대로 잡는다. 이제부턴 진검승부야."

S#1　　　**헌책방 내부 비밀 공간 (낮)**

현규에게 총을 겨눈 채 서 있는 도환.
여유 있게 도환을 보는 현규. 이제야 알겠다.

현규　　　...오 변호사였구나. 증거 진 검사한테 전해 준 사람.
도환　　　(총 겨눈 채 현규 바라보고)

S#2　　　**회상, 쓰레기 소각장 (밤)**

11화 26씬 연결
쓰레기들 사이,
핏자국 묻어 있는 정의의 여신상이 놓여 있다.
쓱 여신상을 들어올리는 검은 장갑 낀 손.
이제야 보이는 누군가, 도환이다.

회상, 지하철 물품 보관함 앞 (밤)

11화 31씬 연결
보관함 앞.
상·하의 검은 옷에 검은 모자를 눌러쓴 누군가가 서 있다.
보관함 안에 쇼핑백을 집어넣는 검은 장갑 낀 손.
이제야 보이는 남자, 도환이다.

헌책방 내부 비밀 공간 (낮)

현규   난 우리 사이가 괜찮다 생각했는데…
    죄책감이라도 느낀 거야? 그건 변호사 덕목이 아닌데.

도환   이건 변호사의 덕목 문제가 아닙니다.
    사람이냐 아니냐의 문제입니다.

정   (도환 보는, 표정)

도환   다 끝났습니다. 이제 그만 내려놓으시죠.

현규   …그래요 그게 오 변호사 선택이라면.
    어차피 예상 못한 것도 아니고.
    (도환에게 걸음 옮기며) 내 자리 정도까지 올라오면 말야
    오 변호사. 안 보려 해도 보이는 게 있어.
    (총구 바로 앞에 서는) 사람의 눈.

도환   (당황스레 현규 보고)

현규   입은 거짓말을 해도 눈은 못해.
    사람 감정이 그대로 드러난다고.
    지금 오 변호사 눈엔 욕심이 없어.

난 그거 참 마음에 들었는데.

정   (긴장해 현규 보는데)

현규   (도환이 들고 있는 총 잡는) 자, 괜찮으니까 댕겨 봐.

도환   지금 무슨... (총 빼내려 하는데)

현규   (힘으로 총 잡으며, 아이 다독이듯) 괜찮아 겁내지 말고 쏴 봐.

              이참에 죽지 뭐. (방아쇠에 손가락 집어넣고)

정   !!

현규   괜찮대도 참, 힘 빼 힘 빼.

강제로 도환이 방아쇠를 당기게 만드는 현규!
틱, 격발이 되지 않는다. 빈총이다.

정, 도환   !!

현규   (배시시 웃는) 그 표정 좋다. 그럼 이제 장난은 그만하고...

품에서 뭔가를 꺼내는 현규.
도환이 들고 있는 것과는 다른 총이다.

현규   (도환에게 총 겨누며) 핸드폰.

도환   (표정)

현규   녹음하고 있는 거 알아. (달라 손 내미는)

움직이지 않고 가만히 서 있는 도환.
짜증스레 한숨 내쉬는 현규, 정을 향해 방아쇠를 당긴다.
탕-!

정의 옆을 스쳐 지나가 박히는 총탄.

정   (긴장하고)

현규   (고개 갸웃) ... 잘 안 맞네. (다시 정에게 총 쏘려 하는데)

도환   알겠습니다. (핸드폰 들고 현규에게 다가가는)

짧은 순간 정과 도환의 눈이 마주친다.
눈빛으로 사인을 주고받는 두 사람.
현규에게 핸드폰 줄 듯하다
일부러 바닥에 떨어뜨리는 도환.
무심코 바닥에 떨어진 핸드폰을 보는 현규.
순간을 놓치지 않고 현규에게 달려드는 정!
책장을 발판 삼아 뛰어올라 현규의 총을 발로 차 버린다.
곧이어 현규를 붙잡아 벽으로 밀어붙이는데,

현규   (비릿한 미소) 이러고 있어도 괜찮겠어요?

정   닥치고 가만있어.

현규   오 변호사.

정 뒤돌아보면,
어느새 도환의 목에 위협적으로 들어서 있는 칼.
도환의 뒤에 서 있는 한 사람, 강 수사관이다.
강 수사관의 뒤엔 양복들 몇 명이 함께 서 있고.

정   ...!!

도환	(강 수사관 보는) 이유가 뭡니까.
현규	세상에 돈으로 안 되는 건 없어 오 변호사.
	만약 있다면 그건… 돈이 모자란 것뿐이겠지?
정	(현규 노려보는)
현규	잘 선택해요 진 검사님. 쟤 저렇게 놔두면 죽어.

현규를 노려보다가, 결국 물러서는 정.
도환의 팔을 케이블 타이로 묶는 양복들.
몇몇 양복은 정의 팔을 묶는다.
비열한 미소로 정을 바라보는 현규.
그런 현규 노려보는 정의 모습에서.

S#5   **폐업한 실내 수영장 혹은 폐업한 사우나 (밤)**

오랫동안 방치된 듯 낡고 허름한 실내 수영장.
(폐업한 사우나도 좋습니다.)
수영장 바닥,
나란히 벽에 기댄 채로 앉아 있는 정과 도환.
손은 뒤로 향한 채 케이블 타이로 묶인,
발은 수영장 바닥 쇠고리에 고정되어 묶여 있다.
한쪽에선 양복이 급수용 호스로 물을 채우고 있고.

정	준비 빡세게 했네.
	이럴 줄 알았음 아까 너 죽게 냅두는 건데.
도환	불평할 시간 있으면 어떻게 좀 해 보지?

누가 봐도 딱 물귀신 각인데.

어느새 정과 도환의 턱 끝까지 차오른 물.
긴장 어린 정과 도환의 표정에서.

S#6   **헌책방 내부 비밀 공간 (밤)**

밖으로 걸음 옮기다가 멈칫하는 현규.
'중앙 지검 박재경 검사' 파일이 책장에서 삐져나와 있다.
파일을 밀어 넣는 현규. 걸음 옮겨 밖으로 나간다.

S#7   **폐업한 실내 수영장 혹은 폐업한 사우나 (밤)**

계속해서 차오르기 시작하는 물.
끝내 정과 도환의 머리까지 덮어 버린다.
물속, 케이블 타이를 끊기 위해 몸부림치는 정과 도환.
순간 정의 눈에 띄는 무언가,
수영장 바닥, 부서진 타일 조각이 놓여 있다.
타일 조각을 집는 정.
손에 묶인 케이블 타이를 타일 조각 이용해 끊어 낸다.
곧바로 도환의 케이블 타이 또한 끊어 내는 정.
숨이 막히기 시작한다.
손이 자유로워진 두 사람, 발에 묶인 줄을 푼다.
수영장 풀 밖에 서 있던 양복들.
뒤돌아 밖으로 나가려 하는 그때,

푸하 물 밖으로 나오는 정과 도환...!

물에 젖은 몸 일으켜 세우는 두 사람.

죽일 듯 양복들 노려보고.

정   싸움 좀 하냐?

도환   적어도 너보단.

정   (피식) 발목이나 잡지 마라.

동시에 물에 젖은 재킷 확 집어 던지는 정과 도환.

곧바로 이어지는 정과 도환, 양복들 간의 격투.

때때론 따로, 때때론 함께 양복들을 상대하는 정과 도환.

바닥에 쓰러지고 수영장에 빠지고.

점점 쪽수가 줄어들기 시작하는 양복들.

양복 한 놈을 쓰러뜨리며 짧게 숨을 고르는 정.

그 순간 뒤에서 쇠 파이프를 휘두르는 또 다른 양복!

한발 먼저 그 모습 발견한 도환,

몸을 날려 그 공격 대신 받는다.

바닥에 주저앉는 도환. 이마에선 피가 주르륵 흐르고.

달려드는 나머지 양복들을 모두 제압한 정.

재빨리 도환에게 다가가,

정   싸움 좀 한다며.

도환   누가 자꾸 걸리적거려서.

도환을 부축해 일으켜 세우는 정.

함께 밖으로 나가는 두 사람의 모습에서.

S#8   **병원 복도 (밤)**

　　　침대에 누워 잠을 자고 있는 도환.

　　　그 옆엔 의사가 서 있고.

　　　입원실 문 아크릴 창을 통해 도환을 바라보는 정.

　　　잠시 후 의사가 밖으로 나온다.

의사　　외관상 부상이 심하긴 한데

　　　다행히 두개강 내 출혈은 없습니다.

정　　　생명에 지장은 없다는...

의사　　경미한 뇌진탕 증상이 있긴 하지만

　　　걱정하실 정도는 아닙니다.

　　　아마 내일이면 퇴원하실 수 있을 겁니다. (걸음 옮기는)

　　　정 복잡한 얼굴로 입원실 안 도환 바라보다가,

　　　결연히 걸음 옮기는 모습에서.

S#9   **중도의 가게 (밤)**

　　　한 자리에 모여 있는 정과 아라, 중도와 은지 철기.

철기　　(놀란) 오도환 변호사요? 많이 다쳤습니까?

정　　　병원에선 괜찮다 하니까.

　　　　　　　　(아라에게) 미안해요 오 변호사 쪽 미리 말 못해서.

아라　　　　　(보다가, 고개 끄덕이는) 앞으로 계획은?

정　　　　　　눈으로 확인했으니까 쳐야죠. 서현규 서고.

아라　　　　　그 안에 있는 내용을 전부 털어서...

　　　　　　　　세상에 드러나게 한다.

정　　　　　　법원에서 압수 영장을 받아야 돼요.

　　　　　　　　서현규를 법정에 세웠을 때 증거로 쓰기 위해서라도.

아라　　　　　문제는 청구할 명분이 없단 거야.

　　　　　　　　그 안에 내용 본 것도 니네 둘밖엔 없잖아.

정　　　　　　안에 내용을 다 같이 볼 수 있다면?

　　　　　　　　뭔가를 꺼내 보여 주는 정.

　　　　　　　　전소된 차량 사진,

　　　　　　　　국과수 화재 분석 결과지와 부검 소견서다.

　　　　　　　　(물에 젖은 걸 말린)

아라　　　　　(서류와 사진 보는) 실장님 가족 화재 사고 자료잖아.

　　　　　　　　엔진 과열로 인한 차량 화재 사고.

　　　　　　　　(서류 보다가 멈칫, 놀라 정 보는)

　　　　　　　　...이게 사고가 아니었다고?

정　　　　　　누군가 차에 휘발유를 뿌리고 불을 지른 거예요.

　　　　　　　　호흡이 없는 두 사람을 차 안에 넣어 두고.

　　　　　　　　이게 그 증겁니다.

아라　　　　　너 이걸 대체 어디서 갖고 온... 진 검사 너 설마.

정　　　　　　(표정에서)

S#10   회상, 헌책방 내부 비밀 공간 (낮)

11화 66씬 연결
문득 걸음 멈추는 정.
'중앙 지검 박재경 검사' 파일이 보인다.
책장에서 파일을 꺼내는 정.
파일을 연다. 박재경 가족 차량 화재 사건 관련 사진과
자료 북 뜯어 품에 넣는다.

S#11   중도의 가게 (밤)

아라   (황당한) 그 안에 있는 서류를 몰래 훔쳐 왔다.
        영장 받으려고.
정   서고 위치가 노출된 이상 서현규는
        분명 안에 내용을 옮기려 할 거예요.
        최대한 빨리 부탁해요.
아라   (후우... 서류 바라보고)
정   (사람들에게) 이번 기회 놓치면 다신 그놈 못 잡을지도 몰라.
        한번에 쳐서 제대로 잡는다.
        이제부턴 진검승부야.

S#12   서현규 대표실 (밤)

        자리에 앉아 핸드폰 통화 중인 현규.
        당황스러운 표정.

현규   압수 영장이요? ... 서고? 검찰이 그걸 어떻게...

하다가 멈칫,
번뜩 떠오른 생각에 표정 얼어붙는 현규.

◀ 플래시백
   12화 6씬
   '중앙 지검 박재경 검사' 파일이 책장에서 삐져나와 있다.
   파일을 밀어 넣는 현규.

어떻게 된 건지 알겠다.
핸드폰 내리는 현규. 곧바로 어딘가 전화를 건다.

현규   애들 시켜 서고 위치 옮겨.
        지금 당장. (핸드폰 내리는, 확 책상 위 물건 쓸어 던지고)

S#13   **아라의 사무실 (밤)**

프린터기에서 인쇄되어 나오는 종이.
아라 집어 들어 보면, 압수 수색 영장이다.

S#14   **헌책방 앞 (밤)**

끼익 멈춰 서는 승합차.
박스를 든 채 내리는 박 수사관과 수사관들.

S#15   **헌책방 내부 비밀 공간 (밤)**

안으로 들어오는 박 수사관과 수사관들.
멈칫 표정 굳는 박 수사관.
서고 안 책장, 깔끔하게 비어 있다.
낭패스레 한숨 내쉬는 박 수사관의 모습.

S#16   **도로 (밤)**

도로를 달리고 있는 커다란 탑차 트럭.
탑차 내부, 수북이 쌓여 있는 박스들.

S#17   **도로 길목 (밤)**

일각에 멈춰 서 있는 정의 차.
운전석엔 정, 조수석엔 아라가 앉아 있고.

아라   (핸드폰 통화 중인) ... 알겠어요 수사관님.
          (끊고) 생각대로야. 이미 깔끔하게 비워 놨대.

정   (고개 끄덕이는) 어떤 식으로든
          서현규한테 연락 갔을 테니까요.
          여기까진 예상대로.

아라   트럭이라 그랬나? 이 길목은 확실한 거지?

정   헌책방에서 이어지는 유일한 도로예요.
          철기 말론 십 분 전 출발했다니까... 저기 오네.

정의 차 앞을 지나가는 트럭.
그 뒤를 따라 출발하는 정의 차.

S#18 **국도 변 (밤)**

도로를 달리는 트럭.
그 뒤를 빠른 속도로 쫓아가는 정의 차.
정 힘껏 엑셀을 밟아 트럭을 추월,
어느 정도 거리를 벌린 후 핸들 꺾어 도로를 가로막는다.

아라   (놀라고 벙찐) 뭐 하는 거야?
정   안에 있어요. (목검 챙겨 차에서 내리는)

국도 변. 떡 하니 다가오는 트럭을 막아서는 정.
정의 앞에 멈춰 서는 트럭.
트럭에서 내리는 양복1과 2, 정에게 다가간다.
정의 차 안. 앉아 있는 아라의 시선으로 보이는...
양복들을 때려눕히는 정의 모습.
가만히 그 모습 바라보던 아라. 슬며시 블랙박스를 끄고.
국도 변. 양복1을 끌고 탑차 문 향해 다가가는 정.
열라고 고갯짓.
탑차 문을 여는 양복1.
탑차 내부를 보고 표정 얼어붙는 정.
탑차 안, 아무것도 없이 텅텅 비어 있다.
비어 있는 탑차 내부 바라보는 정의 표정에서.

S#19   **트럭B 안 (밤)**

도로를 달리는 트럭B.
운전석엔 양복3, 조수석엔 강 수사관이 타 있다.

S#20   **회상, 헌책방 앞 (밤)**

멈춰 서 있는 트럭B.
트럭B 밑을 스캐너로 훑고 있는 강 수사관.
한쪽에선 모자와 마스크 쓴 보안요원들이
박스들을 탑차 안에 싣고 있고.
수색을 끝낸 강 수사관.
핸드폰 들어 어딘가 전화를 건다.

강 수사관   …확인 끝냈습니다. 다른 이상 없습니다.
현규   도착하면 연락해요. 그리고 혹시 모르니까…

S#21   **회상, 도로 (밤)**

신호를 받고 멈춰 서 있는 트럭B.
잠시 후 트럭B와 똑같이 생긴 트럭(17씬의 트럭)이
트럭B 옆에 선다.
신호가 파란색으로 바뀐다. 먼저 출발하는 트럭.
가만히 멈춰 서 있는 트럭B.
조수석에 앉아 있는 강 수사관의 모습.

S#22   회상, 도로 일각 (밤)
        17씬 동일
        정의 차 앞을 지나가는 트럭.
        그 뒤를 따라 출발하는 정의 차.

S#23   **국도 변 (밤)**

정   잔머리를 쓰시네...
아라   관할 교통과에 연락하자.
        CCTV 따면 동선 나올지도 몰라.
정   그럴 필요 없습니다. 바로 따라가죠.

        자신의 핸드폰을 보는 정.
        커플 어플 위치 추적이 떠 있다.
        핸드폰 화면, 도로를 따라 이동하고 있는 붉은 점.

아라   (착잡한) 커플 어플이 이렇게 쓰라 있는 건 아닌데...
        (번뜩 떠오른 생각에) 근데 이 사람은 누구야?

S#24   **트럭B 탑차 안 (밤)**

        박스들이 가득 들어 있는 탑차 내부.
        갑자기 박스 하나가 움직이기 시작한다.
        테이프로 봉한 입구를 뚫는 누군가의 손.
        박스 위로 고개 내미는 한 사람, 중도다...!

| 중도 | (비장한 얼굴로 핸드폰 전화 거는) ...에이전트 고. |
| | 적진 침투 완료. |

S#25   ## 회상, 헌책방 앞 [밤]

20씬 연결

멈춰 서 있는 트럭B.

트럭B 밑을 스캐너로 훑고 있는 강 수사관.

한쪽에선 모자와 마스크 쓴 보안요원들이

박스들을 탑차 안에 싣고 있고.

박스를 든 채 탑차로 들어가는 보안요원 둘.

모자와 마스크 벗으면, 철기와 은지다.

철기 박스 열면,

난 누군가 여긴 어딘가 넋 나간 얼굴로

쭈그려 앉아 있는 중도...

철기	(걱정) 괜찮으십니까?
중도	(넋 나간) 말이라 물어보십니까? 내가 무슨 소포도 아니고.
은지	(빈 음료수 캔 건네주는)
중도	(뭔가 싶어 은지 보면)
은지	요강.
중도	...요강이 캔이네. 페트도 아니고 캔.
	와 요강 구멍 작은 거 봐.
	오줌을 싸라는 건지 서커스를 하라는 건지...
은지	(박스 닫는, 테이프 뜯어 붙이는 데서)

S#26   **국도 변 (밤)**

정   저희가 따라붙을까 봐
            트럭까지 두 대 준비해 놓은 놈이에요.
            추적기를 썼으면 단박에 걸렸을 거예요.
아라   어 그래... 나도 이젠 할 말이 없다.
정   선배는 철기랑 합류해서 와 주세요.
            여기서부턴 위험하니까 저 혼자 갈게요.
            (자신의 차 향해 걸음 옮기는데)
아라   진 검사. (정 아라 보면) ...조심해.

S#27   **정의 차 안 (밤)**

            도로를 달리는 정의 차.
            결연한 얼굴로 운전 중인 정의 모습.

S#28   **컨테이너 보관창고 (밤)**

            멈춰 서는 트럭B. 차에서 내리는 강 수사관과 양복3.
            대기하고 있던 양복들,
            탑차 문을 열고 박스를 꺼내기 시작한다.
            박스들을 컨테이너로 옮기는 양복들.
            그중 한 박스 안, 바싹 긴장해 숨어 있는 중도...
            중도 문득 보면, 박스 구석에 놓여 있는 캔.
            아차 싶어 캔 붙잡으려 하는데,

순간 양복들이 중도가 숨어 있는 박스를 든다.
덜컹 흔들리며 넘어지는 캔.
쏟아지는 중도의 소변...
안간힘 쓰며 중도가 들은 박스를 옮기는 양복들.
박스 빈틈으론 소변이 줄줄 새고...

강 수사관   (박스에서 뭔가 새는 걸 보곤) 거기 잠깐.

박스로 다가가 테이프를 뜯는 강 수사관.
박스 안, 중도가 들어 있다.
서늘히 중도를 노려보는 강 수사관.
그런 강 수사관 보며 배시시 웃음 짓는 중도.

S#29   **컨테이너 보관창고 밖 일각 (밤)**

멈춰 서는 정의 차. 목검을 챙겨 내리는 정.
저쪽에 보이는 창고를 향해 걸음 옮긴다.

S#30   **컨테이너 보관창고 (밤)**

수없이 많은 컨테이너들이 쌓여 있는 창고.
안으로 들어서는 정.
컨테이너 안에 가득 들어 있는 박스들.
서 있는 강 수사관과 수많은 양복들.
피투성이가 된 채 무릎 꿇고 있는 중도가 보인다.

정	(착잡한) 괜찮냐?
중도	(힘겹게 웃는)
정	미안하다 나 때문에.
	(목검 부여잡는) 대신 내가 그대로 갚아 줄게.
강 수사관	(핸드폰 전화 거는) 진 검사가 왔습니다.

S#31   서현규 대표실 (밤)

현규	(핸드폰 통화 중인, 짜증스레 한숨 내쉬는) 징그러운 놈…
강 수사관(소리)	어떻게 할까요.
현규	(고민하다가, 결심한 듯) 어쩔 수 없을 거 같네요.
	자료 전부 태워 버리세요.

S#32   컨테이너 보관창고 (밤)

강 수사관	예. (옆에 있던 양복3에게) 갖고 와.

강 수사관에게 휘발유 통을 건네주는 양복3.
강 수사관,
휘발유를 컨테이너 안 박스들에 뿌리기 시작한다.

정	!! 뭐 하는 거냐?
강 수사관	막아.

정에게 달려드는 양복들.

날아오는 칼과 둔기들 막고 피하며 격투를 벌이는 정.

그 와중에 힐끔 강 수사관 보면,

계속해서 박스들에 휘발유를 붓고 있는 강 수사관...!

초조한 듯 이를 악물고 양복들을 제압해 나가는 정.

마지막 한 놈까지 쓰러뜨린 후 강 수사관 보면,

팅 지포 라이터를 켜는 강 수사관!

!! 강 수사관을 향해 달려가는 정.

휘발유를 향해 지포 라이터를 던지는 강 수사관.

다 끝났다 싶은 그때!

덥석 라이터를 잡는 누군가, 도환이다...!

도환	대표님이 바쁘셔서 그런가?
	제가 아직 강산 소속이더라고요.
강 수사관	(놀란) 변호사님.
도환	강신조 씨, 당신 해고야. (힘껏 주먹 날리면)
강 수사관	(그대로 나가떨어져 기절하고)
정	언제 오나 했다.
도환	솔직히는 아까 왔는데... 끼기엔 내가 너무 힘들어서.
정	(쓰러져 있는 양복들 보다가, 도환 보며 피식) 너답다.

S#33   **국밥집 (낮)**

자리에 앉아 국밥을 먹고 있는 현규.

잠시 후 누군가 맞은편에 앉는다. 정이다.

현규	식사 안 하였음 한 끼 해요. 여기가 탕이 좋아.
정	많이 먹어 두십쇼. 밖에서 먹는 마지막 밥이 될 테니까.
현규	(수저로 살살 국물 저으며) 어떡할 생각이에요?
	영장에 기재된 장소 벗어난 증거 수집은
	법적 효력도 없을 건데.
정	법을 이용한 꼼수라는 게 꼭...
	나쁜 놈만 쓸 수 있는 건 아니라서.

S#34   회상, 컨테이너 보관창고 (밤)

박스 하나를 드는 강 수사관, 정을 향해 돌아선다.
한쪽엔 아라와 도환이 어이없단 얼굴로
정 바라보며 서 있고.

정	형법 제218조.
	현행범이나 범죄 현장에서 소지자 등이
	임의 제출한 물건은 영장 없이 압수할 수 있다.
	서현규 대표 지시로 옮기신 비밀 문건들,
	임의 제출 감사합니다.
강 수사관	(박스 든 채 머뭇머뭇)
정	(미소) 공익 제보자님? 감사합니다 뒤지기 싫으면.

어쩔 수 없이
정에게 들고 있던 박스를 넘기는 강 수사관.
짝짝짝 기가 차단 얼굴로 박수 치는 아라와 도환.

S#35   **국밥집 (낮)**

표정 굳어 정을 바라보는 현규.
품에서 서류를 꺼내 툭 테이블에 던지는 정.
현규 보면, 자신에 대한 체포 영장이다.

정   다 드셨음 일어납시다.
            (피식) 계산은 내가 해 드릴게.
현규   ...이걸로 이겼다 생각하지 말아요.
정   그럴 리가 이제 시작인데.
            기대해. 아직 당신 놀랄 거 많이 남았어.

S#36   **검찰청 로비 (낮)**

공고 게시판에 붙어 있는 인사 발령서.
'공명정대한 세상과 사회정의 실현을 위한
국민의 민원봉사실 검사 진정
- 중앙 지검 형사 3부 발령.'

S#37   **검찰청 복도 (낮)**

자신의 사무실을 향해 걸음 옮기는 정. 그 위로

아라(소리)   너 징계 풀렸어. 나랑 수사관님 감찰도 풀렸고.
            사람들이 서현규한테 등을 돌리고 있는 거 같아.

S#38   정의 사무실 (낮)

안으로 들어오는 정. 사무실 안을 둘러본다.

정(소리)   서현규 재판 공판 검사는요?

사무실 한쪽 옷장을 향해 다가가는 정.

아라(소리)   중앙 지검 형사 3부 검사, 진정.

정 옷장을 열면, 그 안, 검사 법복이 들어 있다.
가만히 법복을 바라보는 정의 표정.

S#39   여성 구치소 면회실 (낮)

마주 앉아 있는 아라와 태 실장.

아라   곧 서현규 대표 재판이 열릴 거야.
태 실장   (담담히 아라 보는)
아라   법정에 서. 증인으로 나와.
태 실장   (픽 냉소하고)
아라   우리한테 협조하는 게 당신 형량 조금이라도
          낮출 수 있는 방법이란 거, 당신도 잘 알 거야.
태 실장   난 아무것도 몰라. 잘해 봐 당신들끼리.
          (자리에서 일어서는데)

아라	(여유로운) 우리한테 카드가 있다면?
태 실장	(멈칫, 아라 보는) 카드?
아라	요즘 말로 한 타라고도 한다지?
	서현규가 박재경 실장님을 죽였단 걸 입증할 수 있는...

+   인서트

검찰청 휴게실. 아라에게 속닥속닥 귓속말하는 정.
뭐?! 입 떡 벌어져 정을 바라보는 아라.
정 그런 아라에게 엄지척! 날리고.

아라	마지막 한 방. 그거 우리한테 있어.
태 실장	(정말일까? 아라 바라보는)
아라	이미 판 기울었다. 되도 않는 가오 부리지 말고 앉아.
태 실장	내가 협조한다 해도, 당신들 그 사람 못 잡아.
아라	아니. 무조건 잡아.
태 실장	(의문스레 아라 보면)
아라	벌써 잊었어? 우리 쪽 검사가 누군지?

S#40   정의 사무실 (낮)

거울을 보며 정장을 입고 있는 정.
격식에 맞는 단정하고 깔끔한 머리.
와이셔츠 팔목에 단추를 채운다. 넥타이를 맨다.
옆에 놓여 있던 법복을 입는다.
의식을 치르듯 법복의 단추를 하나하나 채워 나간다.

비장하고 결연한 얼굴로,
법복 입은 자신의 모습을 바라보는 정. 그 위로

판사(소리)   검사. 공소 사실 요지 말하세요.

S#41   **법원 (낮)**

검사석에서 일어서는 정.
그 옆엔 아라가 앉아 있다.
맞은편 피고인석에 홀로 앉아 있는 현규(정장 차림).
방청석엔 중도와 은지 철기,
뒤편엔 이 재판에 대한 관심 보여 주듯
기자들과 카메라맨들이 서 있고.

정   존경하는 재판장님.
피고인 서현규는
지난 수년간 정·재계 VIP 의뢰인들의 피의사건을 조작,
대한민국 사법 제도를 농락하며
부당 이익을 취함은 물론
의뢰인들의 혐의와 치부, 비리를 약점 잡아
그들 위에 군림하며
무소불위의 권력을 누려 왔습니다.

현규   (담담히 정 보는)

정   피고인 서현규는 사건과 관계없는 제3자를
피고인으로 만들어 재판에 세웠습니다.

1화 51씬
차분한 표정으로 피고인석에 앉아 있는 효준.

정   자신의 치부와 범죄 행각을 감추기 위해
           이장원 차장을 살인 교사,

8화 54씬
주사기를 품에 넣는 태 실장.
이장원을 일으켜 세운다.
창문을 열곤 이장원을 밖으로 밀어 떨어뜨린다.

정   이를 수사하던 현직 검사에게 살인 누명을 씌웠으며,

4화 71씬
도환   진정 검사, 현 시간부로 당신을 이장원 차장 살해 혐의로
           긴급 체포합니다.

정   상황이 여의치 않자 그 검사를 살해하려는 시도까지
           자행하였습니다.

5화 71씬
푹 정의 배를 칼로 찌르는 태 실장...!

정   자신의 범죄 증거와 서고라 일컬어지는

재판 조작 증거들을 숨기기 위해

직접 살해를 시도하기도 하였습니다.

이에 본 검사는 피고인 서현규를

형법 제283조 협박, 155조 증거 인멸,

314조 업무 방해, 326조 중권리 행사 방해,

254조 살인 미수와 250조 살인 및 1항 31조 살인 교사까지.

이상 총 일곱 혐의에 대한 공소를 제기합니다.

(자리에 앉는, 맞은편 현규를 단호히 바라보고)

판사	(서류 보는) 피고인은 변호사를 따로 선임하지 않았네요?
현규	예. 직접 변론하겠습니다.
판사	알겠습니다. 피고인 변론 요지 말하세요.
현규	(자리에서 일어서는)

본 피고인은 검사 측에서 제기한 모든 혐의를

부인합니다. (자리에 앉는, 맞은편 정을 여유 있게 바라보고)

(경과)

판사　　　피고인 서현규 씨에 대한 증인 신문 시작하겠습니다.

증인, (증인석 가리키며) 자리하세요.

증인석에 앉는 김태호. 걸음 옮겨 그 앞에 서는 아라.

잠시 서로를 바라보는 두 사람.

김태호	…시작하시죠.
아라	증인은 피고인 서현규와 어떤 관계입니까?
김태호	평검사 시절부터 지검장에 오를 때까지…

20여 년 동안 피고인의 최측근이었습니다.

아라　　이장원 차장검사 사건에 대해서도 알고 계십니까?

김태호　예 알고 있습니다.

　　　　차장검사 살인 사건을 자살 사고로 만든 게...

　　　　바로 저였으니까요.

　　　　웅성거리는 방청석.

　　　　여전히 여유로운 표정의 현규.

아라　　증인 혼자만의 범행이었습니까?

김태호　아닙니다.

　　　　피고인석에 앉아 있는 서현규 대표의 명령이었습니다.

현규　　(담담하고)

김태호　서현규는

　　　　이장원 차장이 갖고 있던 범죄 증거를 강취하기 위해

　　　　사람을 시켜 이장원 차장을 자살로 위장 살해하였고...

　　　　저한테 사건 수습을 맡겼습니다.

아라　　범죄 증거라면 어떤 걸 말씀하시는 거죠?

김태호　MP3입니다.

　　　　이장원 차장이 갖고 있었던,

　　　　피고인의 살인 행각 영상이 담긴.

현규　　(일어서, 판사에게) 재판장님, 확인되지 않은 사실입니다.

판사　　인정합니다. 증인, 발언에 신중하세요.

아라　　증인은 이장원 차장의 부검을 맡았던 부검의 협박,

　　　　부검 소견서를 조작케 만들었습니다.

	거기에 현직 검사 누명까지요.
	이 또한 피고인의 뜻이었습니까?
김태호	예. 피고인의 지시를 받고 벌인 일이었습니다.
아라	마지막으로 하실 말씀은요?
김태호	잘못된 선택이었습니다. 평생을 반성하며 살겠습니다.
	전국의 후배 검사님들,
	특히 절 8년이나 믿고 따라 준...
	한 검사에게 진심으로 사죄의 말씀 드립니다.
아라	(감정 추스르곤, 판사에게) 이상입니다. (자리로 돌아가고)
현규	(김태호 앞에 다가가) 증인, 저와 증인은
	이장원 차장검사 사건에 대해 대화를 나눈 적이 있습니다.
	그때 대화를 기억하십니까?
김태호	그렇습니다.
현규	제가 그날 증인에게 사건을 자살로 마무리하란 지시를
	직접적으로 내린 사실이 있습니까?

◀ **플래시백**

4화 62씬

현규	(국밥 먹으며) 아까운 사람이 갔어. 이장원 차장.
	뉴스 보니까 자살로 정리되는 거 같던데,
	(지긋이 김태호 보는)
	이장원이 자살이 맞지?
김태호	(잔 내려놓는, 난처한 표정) 사실 그게 형님...
현규	왜? (놀란) 자살이 아니래?

현규	대답하기 어려우시다면 질문을 바꾸겠습니다.
	제가 한 번이라도 증인한테,
	누명을 씌우거나 사건을 조작하라
	언급한 사실이 있습니까?
김태호	직접적인 언급은 없었지만 분명 그런 의향을... (하는데)
현규	언제부터 법정이 의향을 따지는 곳이었죠?
김태호	...!!
현규	녹취나 영상 같은 증거도 없고 증언의 신뢰성도 없고...
	결국 증인은 충성심으로 저지른 단독 범죄를
	제 탓으로 돌리고 있는 건 아닙니까?
김태호	(아무 말 못 하고)
현규	이상입니다 재판장님.

(경과)

| 판사 | 증인 신문 계속 진행하겠습니다. (정에게) 검사. |

증인석으로 걸음 옮기는 정. 증인석엔 태 실장이 앉아 있다.

정	증인은 현재 이장원 차장 살해 혐의와
	저에 대한 살인 미수 혐의로 구치소에 수감 중입니다.
	맞습니까?
태 실장	예 맞습니다.
정	검찰 조사 과정에서 범행 동기를 밝히지 않았습니다.
	이 자리에서 말씀해 줄 수 있겠습니까?
태 실장	(힐끔 현규 보는, 갈등하는 표정)

현규	(서늘히 태 실장 바라보고)
태 실장	(갈등하다가, 결국) 이장원 차장과 진정 검사를 죽이란 지시를 받았습니다. 서현규 대표에게요.
정	이상입니다.

불끈 주먹을 쥐는 중도와 은지, 철기.
작게 안도하는 아라.

현규	(태 실장 앞에 다가가) 증인, 혹시 마약을 하십니까? SNS에 마약을 구입한 흔적이 있던데.
아라	재판장님! 피고인의 질문은 본 건과는 관계없는... (하는데)
현규	증언의 신빙성을 따지기 위한 질문입니다.
판사	검사 의견 기각합니다. 계속하세요 피고인.
현규	다시 묻죠 증인. 마약 업자에게 약물을 구입한 사실이 있습니까?
태 실장	... 예 있습니다. 하지만 그건... (하는데)
현규	태형욱 씨가 업자에게서 마약을 구매했다는 장부 기록, SNS 대화 내용과 구입 기록을 증거로 제출합니다.

피고인석에서 서류 봉투를 가져와 판사에게 건네는 현규.
법정 일각에 서 있던 기자들.
노트북 두드리고 뉴스 기사 송고하는 등 분주한 모습.
정과 아라, 초조한 얼굴로 작게 한숨 내쉬고.

S#42   **도환의 차 안 (낮)**

도로를 달리는 도환의 차.
운전석에 앉아 있는 도환. 그 위로

정(소리)　　　피고인, 이곳이 어딘지 알고 계십니까?

S#43　　　**법원 (낮)**

증인석에 앉아 있는 현규. 그 앞엔 정이 서 있다.
벽면 스크린엔 책장 안 내용물들이
전부 사라진 서고 안 사진이 떠 있다.

현규　　　예 알고 있습니다.
정　　　　이곳은 피고인이 지금껏 은폐하고 조작해 온
　　　　　사건 자료들을 모아 놓은 비밀 장소,
　　　　　통칭 서고라 불리는 곳입니다. 맞습니까?
현규　　　그런 사실 없습니다.

정 리모컨 누르면, 권력자들의 치부와 비리를 담은
서류철과 파일 사진이 나온다.

정　　　　여기 적힌 사건 이름들,
　　　　　피고인이 맡았던 사건들이 맞습니까?
현규　　　예, 제가 맡았던 사건들입니다.

리모컨을 누르는 정.

'가습기 살균제 사건' 자료와 함께
'비밀 유지 각서' 사진이 뜬다.

정   과거 대한민국을 떠들썩하게 만든 사건이었죠.

         피해자만 수백 명에 달하게 만든 가습기 살균제 사건.

         당시 사건의 피고인이었던 조병수 씨,

         기억하십니까 피고인?

현규   글쎄요 너무 오래전 일이라…

정   피고인은 당시 사건의 담당 변호사였습니다.

         근데 기억을 못 하신다고요?

현규   예. 전부 처음 보는 내용들입니다.

정   각서의 내용을 살펴보겠습니다.

         당시 기업의 연구과장이었던 조병수 씨가

         수억의 돈을 받았다는 내용,

         그 대가로 사건의 총책임자를 대신해

         법정에 섰다는 내용 등이

         조병수 씨의 친필로 적혀 있습니다.

         피고인 이 각서, 본인이 조병수 씨를 협박 및 회유해

         받아낸 것 아닙니까?

현규   아닙니다.

정   그럼 피고인은 왜 이 자료들을 갖고 있었던 거죠?

         갑자기 자료 보관 장소는 왜 옮긴 거고요.

         하필 검찰의 압수 수색이 시작된 날.

현규   우연의 일치입니다.

         저는 오래된 자료들을 폐기하려 했을 뿐

	영장이 나왔다는 사실도 파일 안에
	저런 내용이 있단 사실도 몰랐습니다.
정	여긴 피고인의 개인 공간이 아니었나요?
	어떻게 피고인도 모르는 내용들이 보관되어 있단 거죠?
현규	변호사란 일을 하다 보면
	어쩔 수 없이 적이 생기기도 합니다.
	제게 앙심을 품고 있는 누군가가 저를 곤란하게 하려고
	저지른 일은 아닌가 싶습니다.
	마음만 먹으면 누구든 들어갈 수 있는 공간이니까요.
	(미소로 정 바라보고)
정	(현규 노려보는)

S#44 **법원 앞 [낮]**

멈춰 서는 도환의 차.
무언가가 든 서류 봉투 든 채 운전석에서 내리는 도환,
법원을 바라본다.

S#45 **법원 [낮]**

정	피고인과 전 일전에 서고에서 만난 적이 있습니다.
현규	기억나지 않습니다.
정	피고인은 그 자리에서 저에게 총을 겨눴습니다.
	그 자리엔 강산 로펌 소속 오도환 변호사도 함께 있었고,
	피고인은 저와 오 변호사를 살해하기 위해

	강신조 비서를 사주하였습니다. 인정하십니까?
현규	근거 없는 주장입니다. 전 질문에 대답하지... (하는데)
정	피고인은 박재경 검사를 살해했습니다. MP3 때문입니까?
판사	검사 경고합니다.
정	(분노로 현규 노려보며) 그 안에 있는 내용이
	세상에 퍼지면 안 되니까?
	당신이 미친 사이코패스 살인마란 건
	누구도 몰라야 하니까 그런 짓을 한 겁니까?
현규	(서늘히 정 보는)
판사	법정입니다 검사. 발언 주의하세요.
정	(현규에게 다가가, 증인석 마이크 감싸곤)
	내 말 잘 들어 서현규 씨.
판사	검사, 마이크 손 놓고 나오세요.
정	마지막 기회야. 진실을 말해.
현규	(픽 냉소) ...이 새끼가 보자 보자 하니까.
	너 대체 뭘 믿고 이러냐?
판사	경고했습니다! 자리로 들어가세요!
현규	넌 나한테 안 돼. 이제 더 나올 증인도 없잖아.
정	한 명이 더 있다면?
현규	(가소로운) 오도환 변호사?
정	증인을 신청합니다 재판장님!

S#46   법원 복도 [낮]

무언가가 든 서류 봉투 든 채 복도를 걷는 도환. 그 위로

정	본 사건의 실체를 밝혀줄 중요한 증인입니다!

S#47   법원 (낮)

판사	(현규에게) 증인 채택 동의합니까?
현규	(여유 있게 웃음 짓는) 동의합니다.
판사	좋습니다. 증인이 누구죠 검사?

법정 문이 열린다. 서 있는 한 사람, 도환이다.
그런데 잠시 후,
도환을 지나 안으로 들어오는 누군가, 박재경이다…!

정	중앙 지검 박재경 검사를 증인으로 신청합니다!

!! 충격과 경악으로 표정 얼어붙는 현규.
술렁이는 방청객들.
입 떡 벌어진 채 박재경을 바라보는 중도와 은지, 철기.
아라는 알고 있었다는 듯 피식 미소 짓고.

현규	(떨리는 얼굴로 정 보면)
정	내가 말하지 않았나? 당신 놀랄 거 많이 남았다고.

S#48   회상, 민원봉사 사무실 (밤)

현장을 청소하고 있는 방호복 서너 명.

방호복1은 피 묻은 정의의 여신상을 비닐 팩에 담아 챙기고.

물끄러미 박재경의 시신을 바라보며 서 있는 도환.

문득 눈에 띄는 무언가, 움찔거리는 박재경의 손...!

도환 긴장한 얼굴로 주위를 둘러본다.

아직 방호복들은 눈치채지 못했다.

마른침 꿀꺽 삼킨다. 갈등한다.

문득 사무실 한쪽,

세워져 있는 정의 목검이 보인다.

도환	(가만히 정의 목검 바라보는데)
방호복1	(도환에게 다가와) 정리 끝났습니다.
	시신은 어떻게 할까요.
도환	(목검 바라보다가, 결심한 듯) 구급요원들이 와서 이송할 겁니다.
	마무리됐으면 철수하세요.

(경과)

급히 안으로 들어오는 정.

의식을 잃고 쓰러져 있는 박재경.

그 옆에 서 있는 도환이 보인다.

정	(숨 헐떡이는, 놀람과 당황) 누가 이런 거야.
도환	구급차 불렀어.
정	(와락 도환 멱살 잡는) 누가 이런 거냐고 새끼야!!
도환	서현규.
정	!! 뭐?

도환	일단 실장님부터야. 최대한 빨리 병원으로 옮겨야 돼.
정	(박재경 보는)
도환	(정 바라보고)
정	(박재경 보다가, 결심한 듯) … 이렇게 하자.
	이제부터 실장님은 죽은 거야.
도환	뭐?
정	실장님 살아 있다는 거 알면
	서현규가 절대 가만 있지 않을 거야.
도환	진 검사 너 지금 무슨…
정	지금으로선 이게 최선이야. 닥치고 내 말대로 해.

(경과)

스트레쳐카에 박재경을 싣는 구급대원들.

도환	지금부터 이 사람은 사망 처리된 겁니다.
	흰 천 씌우세요.
구급1	예?
도환	(로펌 강산 명함 꺼내 보여 주는) 저희 쪽 의뢰인이자
	사건 주요 증인입니다.
	증인 보호 일환이니까 보안 유지 철저히 하세요.

S#49   회상, 병원 박재경의 입원실 (밤)

서서히 눈을 뜨는 박재경.
침대 옆, 정이 앉아 있다.

박재경	(인상 쓰며 상체 일으키는) 어떻게 된 거야?
정	멱살 잡고 끌고 왔습니다. 아저씨 저승 가는 거.
박재경	(잠시 있다가, 표정 날카로워지는) 나 살아있단 건?
정	아무도요. 서현규조차도.
박재경	됐어 그럼. 김태호 한번 찾아가.

◀ **플래시백**

10화 43씬

박재경	다른 게 있단 소리로 들린다? 지금보다 확실하게 서현규 잡을 수 있는.
박재경	분명 서현규에 대한 뭔가를 알고 있어. 가서 태호한테 나 죽었다고 말해. 나까지 당한 거 알면 그놈도 흔들릴 거야.
정	(보는)
박재경	태호가 알고 있는 서현규 약점. 그리고 나. 이 두 개로 우린 서현규를 친다.

S#50 **법원 (낮)**

증인석에서 선서하는 박재경.

박재경	선서. 저 박재경은 양심에 따라 숨김과 보탬 없이 사실 그대로 말하고 만일 거짓말이 있으면 위증의 벌을 받기로 맹세합니다.

정	단도직입적으로 묻겠습니다 증인.
	이 자리에 증인을 죽이려 한 사람이 있습니까?
박재경	예. 저기 앉아 있는 서현규 대표입니다.
	서현규는 제 가족을 죽이고...
	그것도 모자라 저까지 살해하려 했습니다.
	자신의 죄를 덮기 위해.
정	(판사에게)
	재판은 사건의 실체적 진실을 밝혀내는 과정이고
	법정에서의 증언은 사실 인정의 중요한 증거 자료입니다.
	박재경 검사의 신뢰도는 직책만으로도
	충분한 보장 사유가 되며 지금까지 증인들의 진술엔
	어떠한 모순도 논리적 오류도 없다는 점,
	참고해 주시기 바랍니다.
판사	피고인, 할 말 있습니까?
현규	(자리에서 일어나, 당황스러운) 증인의 증언은...
	어떠한 신빙성도 담보되지 않은... (하는데)
정	박재경 검사의 증언을 뒷받침할 증거를 제출합니다!
현규	!!
판사	증거 목록엔 따로 기재된 게 없는데... 어떤 증거죠?
정	(도환에게 다가가면)
도환	(서류 봉투 건네주는) 확실히 끝내.
정	당연한걸.

판사에게 다가가는 정.
서류 봉투 안에서 뭔가를 꺼낸다.

비닐 팩에 담긴 정의의 여신상이다...!

현규	!!
정	피고인이 증인을 공격할 때 사용한 둔기를 증거로 제출합니다.

S#50-1 **씬 추가, 회상, 한강 고수부지 (밤)**

도환에게 서류 봉투를 건네는 정.
도환 서류 봉투 안 보면,
비닐 팩에 담긴 정의의 여신상이 들어 있고.

정	분명 서현규라면 나한테 이걸 뺏으려 할 거야. (도환 보는) 니가 좀 맡아 줘. 서현규 법정에 세울 때까지.
도환	증거가 너한테 없단 걸 알면 더 의심할 텐데.

다른 한 손에 들고 있던 뭔가를 보여 주는 정.
도환 보면,
정이 자신에게 준 것과 똑같은 정의의 여신상이다.

정	물건이 구하긴 쉬운 거라. 동묘 앞 구천오백 원.
도환	(픽 웃는) 사람들이 못 당하는 이유가 있었네.
정	부탁한다. (걸음 옮기는데)
도환	진 검사. (정 도환 보면) ...날 믿는 이유가 뭐지?

정	실장님 그렇게 됐을 때, 왜 나한테 연락한 거냐.
도환	...생각난 게 너였으니까?
정	나도 그래. 생각난 게 너야.

서로를 바라보는 정과 도환.

S#50-2 **씬 추가, 법원 (낮)**

현규	(다급한) 협의되지 않은 증거입니다. 인정할 수 없습니다.
정	신빙성 얘길 꺼낸 건 당신이야 피고인.
현규	(당황해서 말까지 더듬는) 안 됩니다.
	저 증거... 저 증거는 가짜입니다.
	검찰은 조작된 증거로 법정을 모독하고 있습니다.
정	증거가 조작됐다 우기는 근거는요?
	본인이 증거 인멸을 시도하기라도 한 겁니까?
현규	그건... 그건 아니지만... (하는데)
정	또 다른 증거를 제출합니다!
	(검사석에서 서류 들고 와 판사에게 건네는) 둔기에서
	피고인 서현규의 지문과 증인 박재경 검사의 혈흔이
	동시 검출되었다는 국과수 소견서를 첨부합니다!
현규	...!!
정	(현규에게) 이래도 할 말이 남았습니까?
	(판사에게) 사건 당시 피고인과 함께 있었던 현장 목격자!
	피고인에게 살해당할 뻔한 오도환 변호사를
	증인으로 신청합니다!

현규	!!
판사	(작게 한숨 내쉬곤) …피고인?
현규	본 변호… 본 변호인은 현시간부로…
	재판부 기피를 신청합니다.
정	(허! 기가 차고)
현규	협의되지 않은 증인이나 증거 등
	불공정한 재판의 우려가 있습니다.
	즉시 공판을 연기하고 기피 신청에 대한 심사를
	진행해 줄 것을… (하는데)
정	적당히 좀 해!!

정의 일갈에 일순 조용해지는 법정.
놀란 얼굴로 정을 바라보는 사람들.

정	(일갈하는 느낌으로) 피고인 서현규는 변호사가 아닙니다.
	교활하게 법을 이용해 권력자들의 죄를 덮어 주고,
	그 대가로 탐욕과 부를 채운 범법자일 뿐입니다!
현규	(정 보는)
정	6살 손녀의 할아버지, 어느 한 가장의 아내와 아들.
	피고인은 자기 앞길에 방해되는 사람이 있다면
	누구든 잔인하게 그 생명을 앗아갔습니다.
	변호사라는 신분을 이용해 죄를 짓고
	그 죄를 덮는데 법을 사용했습니다.
	죄를 짓고도 처벌 받지 않게 해 주며
	자신의 권력을 공고히 해 나갔습니다.

박재경	(정 보는)
정	헌법 제11조 1항, 법은 만인에게 평등합니다.
	누구도 법을 기만할 순 없습니다.
	위치와 권력 여하 상관없이
	그 어떤 누구도 법 위에 설 순 없습니다.
	단 한 명이라도 예외를 두는 순간,
	법은 법으로서의 존재가치를 상실하기 때문입니다.
아라	(정 바라보고)
정	법은 국민을 지키는 데 그 존재의 이유가 있습니다.
	특정 개인의 이익을 위해 이용되어선 안 된단 점을
	분명히 밝히면서!
	본 검사는 피고인 서현규에게 구형합니다.
	지금껏 수많은 사건을 조작해 오며
	사법부를 농락해 온 점,
	그 과정에서 살인과 살인 교사 등
	끔찍한 범죄를 저질러 왔다는 점,
	재판 내내 거짓말과 궤변으로 일관하며
	반성의 기미를 보이고 있지 않은 점,
	피해자 유가족 및 피해자가 엄벌을 요구하고 있단 점을 종합,
	피고인 서현규를 법정 최고형인
	사형에 처해 주시기 바랍니다.

각각의 표정으로 앉아 있는 박재경과 중도, 은지와 철기,
검찰석의 아라.
단호한 얼굴로 법정 한 가운데 서 있는 정의 모습에서.

S#51   몽타주

/ 법원 (낮)
아무도 없는 법정. 피고인석에 앉아 있는 현규.
법정 경위들이 현규를 연행하기 위해 다가온다.
손들어 그들 제지하는 현규.
옷매무새를 가다듬고 스스로 걸음 옮긴다.

앵커(소리)   오늘 오후 있었던 강산 로펌 서현규 대표의 재판에서
             검찰이 법정 최고형인 사형을 구형했습니다.

/ 구치소 복도 (낮)
수갑을 찬 채 걸음 옮기는 지한의 모습.

앵커(소리)   또한 서현규 씨의 아들 서지한 씨가
             서초동 살인 사건의 진범으로 밝혀져
             국민들에게 큰 충격을 주고 있습니다.

/ 구치소 독방 (낮)
창문에 비치는 햇살을 보며 앉아 있는 김태호.

앵커(소리)   정계와 재계 그리고 법조계 사이의
             뿌리 깊은 유착 관계가 사건을 통해 드러나면서
             큰 파문이 일고 있는 가운데...

/ 강산 로비 (낮)

박스를 든 채 안으로 들어오는 아라와 박 수사관, 수사관들.

앵커(소리) 재판부는 법무법인 강산에서 맡았던 사건들을 전수 조사,
재심을 진행할 것이란 입장을 발표하였습니다.
검찰은 강산 서현규 대표와 서현규 게이트와 연관된
모든 이들을 철저히 수사하겠다…

/ 검찰청 기자실 (밤)

연단에 서서 기자 브리핑을 하고 있는 아라.

아라 저희 검찰은 서현규 대표의 서고와 연루된
모든 관계자들을 철저하게 수사,
단 한 점의 의구심도 남기지 않을 것입니다.
수사엔 어느 것도 성역이 될 수 없습니다.
대한민국 사법 정의를 바로 세울 수 있도록
최선을 다하겠습니다.

S#52 **포장마차 (밤)**

테이블 사이에 두고 소주를 마시고 있는 정과 박재경.

정 구형대로 판결 나겠죠? 서현규 대표.
박재경 지은 죄가 워낙 많으니까.
정 (박재경 잔에 술 따라 주는) 고생하셨어요.

박재경	(미소로 정의 잔에 술 따라 주는) 수고했다.
정	다 끝났는데 휴가라도 다녀오세요.
	그동안 묵은 때 벗길 겸 어디 여행이라도 갔다 오시던가.

품에서 뭔가를 꺼내 정에게 건네주는 박재경.
정 보면, 박재경의 검찰 신분증이다.

박재경	반납. 인사과에 갖다줘.
정	...!!
박재경	(시원섭섭한) 난 내 할 일 다했다. 이제 검사라면 지긋지긋해.
정	꼭 이러실 필요까진...
박재경	진작에 그만뒀어야 했어.
	애 엄마 살아생전에 그렇게 때려 쳐라 노래 불렀는데...
	오래 걸렸다.
정	(박재경의 검찰 신분증 보다가) ...라면 생각나면 놀러 갈게요.
박재경	내가 옷 벗고도 널 봐야겠냐? 오지 마, 지겨워.

웃으며 건배하는 정과 박재경.

박재경	(넌지시) ...그리고 정아, 서현규 서고에 뭐 없었냐?
정	(안주 먹으며) 뭐가요?
박재경	혹시나 해서 물어보는 거야.
	...니 아버지 파일 같은 거 있었나 해서.
정	(박재경 보는)
박재경	계속 신경 쓰이더라고.

정   (무거운) 나 때문에 그렇게 된 건 아닌가...

           (보다가, 미소로) ... 없었어요. 아버지 사고 맞아.

잠시 정 바라보다가,
의미 모를 한숨 작게 내쉬며 고개 끄덕이는 박재경.
조용하고 편한 분위기 속,
술잔 기울이는 두 사람의 모습에서.

S#53   **정의 사무실 (낮)**

자리에 앉아 있는 정.
책상 위엔 서류 파일이 놓여 있다. **'대한일보 진강우 기자'**

S#54   **회상, 컨테이너 보관창고 앞 (밤)**

권력자들의 치부와 비리 서류들 가득 찬 박스 든 채
밖으로 나오는 철기와 중도, 은지.
잠시 후 그들 뒤를 따라 나오는 정.
손에는 서류 파일을 들고 있다.
서류 파일 제목,

'대한일보 진강우 기자.'

S#55   **정의 사무실 (낮)**

진강우 기자 서류 파일을 여는 정.

아버지의 이력과 기자 신분증 사본, 엄마의 가게 사진,
어린 자신과 엄마 아버지가 함께 찍은 사진 등
아버지에 대해 조사한 각종 내사 자료들이 모습을 드러낸다.
파일 마지막 부분을 보는 정.
아버지가 사고를 당한 현장을 찍은 사진과 함께 들어 있는...
피 묻은 반쪽짜리 명함.
가라앉은 얼굴로 명함을 바라보는 정.
그 위로 들리는 소리, 끼이이이익 쾅-!

S#56   **회상, 편의점 앞 (낮)**

6화 20씬 연결
어린 정 돌아보면, 도로 위 멈춰 서 있는 트럭과...
쓰러져 있는 아버지.

어린 정   ...아빠.
            (아버지에게 달려가, 울상으로 주변 향해) 저기요, 누가 도와주세요!
            우리 아빠 다쳤어요 도와주세요!!
정의 부   정아, 아빠 괜찮아 울지 마.
            (힘겹게 웃는) 울면 못 생겨져.

마지막 남은 안간힘으로 주머니에서 명함을 꺼내는 정의 부.
아들에게 명함을 건네준다.
모자 쓴 트럭 운전기사가 정의 부에게 다가온다.
정의 부 주머니를 뒤지기 시작한다.

그 모습 당황스레 바라보는 어린 정.

문득 운전기사, 어린 정이 들고 있는 명함을 발견한다.

명함을 뺏으려는 운전기사.

정신 차리고 뺏기지 않으려 하는 어린 정.

명함을 서로 잡은 채 힘 싸움 벌이는 두 사람.

사람들이 정의 부에게 달려온다.

"괜찮으세요?" "구급차 불러!"

결국 반으로 찢어지고 마는 명함.

사람들을 밀치고 도망치는 운전기사.

피 묻은 반쪽짜리 명함을 든 채,

절명한 아버지 바라보는 어린 정의 모습에서.

S#57   **추모 공원 (낮)**

아버지의 묘비 앞에 앉아 있는 정.

목검의 손잡이 부분 붕대를 풀기 시작한다.

둥그렇게 말린 피 묻은 반쪽짜리 명함이 나온다.

정, 품에서 다른 반쪽 명함을 꺼낸다.

목검에 숨겨 놨던 명함과 짝을 맞춰 본다.

정확하게 맞아 떨어진다.

이제야 보이는 명함의 주인, 서현규다.

목검 손잡이 부분에 새겨진

'邪不犯正'(사불범정) 한자를 보는 정. 그 위로

어린 정(소리)   뭐라 써 있는 거야?

정의 모 집 마당. 목검 손잡이 부분에
붕대를 감고 있는 정의 부.
어린 정은 목검에 새겨져 있는
'邪不犯正'을 보고 있고.

정의 부	(미소로) 아빠가 제일 좋아하는 말.

정의 부(소리)	사악한 것은 바른 것을 이기지 못한다.
정	(읊조리는) 부정은 정을 이길 수 없다. 사불범정.

9화 63씬

어린 정	(우와... 선망의 눈으로 박재경 보는) 나도 검사 될래요.

1화 12씬

사진 촬영을 위해 계단에 서 있는
신임 검사들과 검찰 간부들.
환하게 웃으며 주먹 불끈 쥐어 보이는 정. 찰칵-!

2화 5씬

박재경	환영한다. 박재경이다. (악수 청하는)

손 내미는 정. 근데 뭔가 이상하다?
정 보면,
가위바위보 하듯 가위를 내고 있는 박재경.

9화 64씬

박재경	… 알고 있었구나.
정	*제가 검사 된다 했잖아요.*

붕대가 바람에 날아간다.
편하게 미소 짓는 정의 모습에서.

S#58   어촌 부둣가 (낮)

편안한 얼굴로 낚시를 하고 있는 도환.
잠시 후 정이 도환의 옆에 선다.

정	많이 잡았냐? 매운탕이나 한 그릇 하자.

쓱 활어 통을 밀어 주는 도환.
정 보면, 한 마리도 없다.

정	(숙연한) …그냥 사 먹자.
도환	(옅게 미소 짓고)
정	변호사 제명됐다며. 이젠 뭐 할 거냐?
도환	생각해 봐야지. 낚시나 좀 하면서.
정	…고맙다. 실장님 건도 그렇고 여러 가지로.
도환	같은 괴물이 될 순 없었으니까.
	근데 처음 듣는다? 너한테 고맙단 소리.
정	(괜히 민망하고) 배고프다.
	잡히지도 않는 거 밥이나 먹으러 가자.

도환	다음에. 아직은 너랑 어색해서.
정	(피식) 통하는 건 있었네. 그땐 선배가 쏴.
	(뒤돌아 걸음 옮기는)
도환	(살짝 놀라 정 바라보다가, 옅게 웃음 짓는)

S#59 정의 모 가게 (밤)

다 같이 테이블에 앉아 고기를 먹고 있는 정과 아라,
철기와 중도 은지.

정의 모	(아라의 테이블에 소고기 놔주는)
	어머 먹는 것도 어쩜 그렇게 예뻐?
	(사람들에게) 많이들 먹어요.
아라	감사합니다. 너무 맛있어요 어머니.
철기	(정에게) 근데 검사님 너무 하셨습니다.
	실장님 살아 계신 거 미리 말씀 좀 해 주시지.
중도	어 그래 맞아! 증거도 그렇고 어떻게 된 거야
	애 떨어지는 줄 알았어!
은지	(중도 보는, 심각한) 여자였어?
중도	농담이야 정색하지 마.
아라	그러게 궁금하네?
	(정 째려보는) 나한테도 다 끝난 담에야 말해 주고?
정	(얼버무리는) 상대를 속이려면 우리부터 속여라
	그런 말도 있고...
	여하튼 모두 수고했어. 다 같이 건배!

"건배!" 다 같이 웃음 지으며 맥주 마시는 사람들.

아라   아 맞다, 저 중도 씨한테 물어볼 거 있는데.

중도   애인 없습니다.

아라   아뇨 그건 관심 없고, 어떻게 만난 거예요 진 검사랑?

중도   이거 또 사발 한번 풀어 줘야 되나?
       예 뭐 특별히 검사님 부탁이니까.

아라   길면 군이 안 하셔도… (하는데)

중도   때는 바야흐로!

S#60   **회상, 불법 성인 오락실 (밤)**

       게임 기계 앞에 앉아 있는 중도.
       쓱 주변 둘러보곤
       손바닥 크기의 해킹기기를 기계에 붙인다.
       잠시 후, 잭 팟을 알리는 음악과 함께
       우수수 쏟아지는 문화상품권.
       가방에 상품권 쓸어 담는 중도.
       그때, 덥석 중도를 붙잡는 조폭 무리들.

S#61   **회상, 불법 수술실 (밤)**

       허름하고 음침한 분위기의 수술실.
       대자로 손발 묶인 채 수술대 위에 누워 있는 중도.
       그 옆엔 메스를 든 의사, 조폭1, 2가 서 있고.

조폭1	(의사에게) 쓸 만한 거 다 꺼내.
중도	잠깐만 잠깐만요 선생님.
	나 사실 암이야 암 피 튀기면 다 옮는 거.
	아니 진짜라니까 나 이거 간암이랑 폐암이랑 아아아악!!

비명 지르며 버둥거리는 중도.
그때! 쾅 문을 박차고 안으로 들어오는 정과 철기!

정	(목검 어깨에 맨 채) 오케이 동작 그만! 하던 일들 멈추시고...
	(하다가 멈칫, 중도 보곤 철기에게) 쟨 뭐냐?
중도	살려 주세요, 살려 주세요!
	내가 하라는 거 다 할게 나 쓸모 되게 많아!

S#62   **정의 모 가게 (밤)**

아라	그럼 그때부터 진 검사한테 약점 잡혀서...
은지	그때 죽었어야 했는데.
중도	나도 가끔 그런 생각한다.
아라	은지 씨는요?
은지	(미소로 정 바라보고)

S#63   **회상, 창고 (밤)**

엉망이 된 몰골로 쓰러져 있는 은지.
잠시 후 문을 열고 누군가 들어온다.

가물가물한 은지의 시선으로 보이는,
깡패들을 쓰러뜨리는 누군가의 모습.
후광을 비추며 은지에게 다가가는 누군가, 정이다.

정   (부드러운 미소로) 괜찮아?
은지   (멍하니 정 바라보고)

S#64   **정의 모 가게 (밤)**

은지   (부끄러운) 그때 생각했어.
            이 사람이랑 계속 같이 있어야겠다.
정   (내가 그랬었나? 표정 갸웃하고)
은지   그래서 원래 내 일도 그만뒀고...
            하여튼 난 진검 포기 안 해. 신 검사도 그렇게 알아.
중도   (고기 먹으며 대수롭지 않게) 그거 난데.
은지   그렇다고 신 검사랑 친해지기 싫단 건 아니고...
            (하다가 멈칫) 뭐?
중도   그거 나라고 너 구해준 거.
은지   !!

S#65   **회상, 창고 (밤)**

엉망이 된 몰골로 쓰러져 있는 은지.
잠시 후 문을 열고 누군가 들어온다.
가물가물한 은지의 시선으로 보이는,

깡패들을 쓰러뜨리는 정의 모습.
정이 싸우는 사이 누군가 은지에게 다가간다.
후광을 비추며 은지에게 다가가는 누군가, 중도다.

중도   (느끼한 미소로) 괜찮아?
은지   (멍하니 중도 바라보고)

S#66   정의 모 가게 (밤)

입 떡 벌어진 채 중도를 바라보는 은지.
아라와 철기 역시 멍하니 중도 바라보고.

정   어쩐지 뭔가 이상하더라.
           난 내가 은지 구해준 기억이 전혀 없거든.

은지   !! (정 보는)

중도   (고기 먹으며) 그러게. 왜 헷갈렸을까?

은지   !! (중도 보고)

철기   아마 그래서일 겁니다.
           그때 은지 씨가 수면제에 많이 취해 있어서…

아라   그럼 정이 넌 뭐야? 은지 씨가 너 왜 좋아하는지
           한 번도 안 궁금했던 거야?

정   잘생겨서인 줄 알았지.

아라   (황당해 말도 안 나오고)

은지   죽어!! (빈 맥주병 들고 중도에게 달려들면)

중도   야 왜 내가 왜!

우당탕 난리법석 벌이는 중도와 은지.
웃고 떠들며 행복한 시간을 보내는 정과 사람들의 모습.

S#67   몽타주

/ 중도의 가게 앞 (밤)
한없이 어색한 분위기 속, 마주 서 있는 중도와 은지.

중도   데려다줘서 고맙다. 가라. (가게 문 여는데)
은지   야. ...화장실 좀 쓰자.
          (당황하는 중도 멱살 붙잡고 가게 안으로 끌고 들어가는)

/ 민원봉사 사무실 (밤)
책상 위에 놓인 사직서 한 통.
코코와 함께 밖으로 나가는 박재경.
문득 멈칫, 문가에 서서 사무실을 둘러본다.
잠시 사무실 바라보다가, 불을 끄고 걸음 옮긴다.

/ 카페 (낮)
어색한 분위기 속, 자리에 앉아 있는 철기.
맞은편엔 소개팅녀가 앉아 있고.

철기   (자신만만) 미정 씨를 보니까 제가 화가 나네요.
          제 마음속의 평화.
소개팅녀   (억지웃음) 아... 예...

/ 검찰청 취조실 (낮)

미결수복 입은 피의자(30대 남)의 머리를
서류 더미로 내려치는 아라.

아라　　　 똑바로 말 안 해?! 이게 어디서 개구라를!!
박 수사관　 (모니터 룸 향해, 다급한) 카메라 꺼, 카메라 꺼!

/ 정의 사무실 (밤)

자리에 앉아 서류 보고 있는 정.
핸드폰 문자 알림 진동이 울린다.
'19시 형사부 전체 회식. 해당 소속 검사 전원 참석할 것'
핸드폰을 덮는 정.
집중해 업무 보고 있는 모습에서 서서히 화면 어두워진다.

S#68　　　 **검찰청 로비 (낮)**

자막: **한 달 후.**
"안녕하십니까" "좋은 아침입니다!"
검사들의 인사를 받으며 출근하는 아라의 모습.

S#69　　　 **신아라 부장검사실 (낮)**

책상 의자에 앉는 아라.
부장검사 명패를 보며 흐뭇이 미소 짓는다.

아라   (번뜩 떠오른 생각에) 근데 진 검사는... 괜찮겠지?

S#70   정의 사무실 (낮)

정   (안으로 들어오며, 힘찬) 자 오늘도 힘세고 좋은 아침...!

하다가 멈칫, 가만히 사무실 안 바라보는 정.
사무실에 있던 서류며 짐들이며 전부 싹 빠져나갔다?
대체 이게 어떻게 된 건가 싶은 정.
엉거주춤 일어서 있는 철기에게,

정   뭐냐 이거? 갑자기 왜 이래?
철기   (난감한) 그게 검사님...

자신의 책상으로 걸어가는 정.
책상 위, 서류 한 장이 놓여 있다.
정 서류 보면, 인사 발령서다.
'중앙 지검 형사 3부 검사 진정
- 공명정대한 세상과 사회정의 실현을 위한
국민의 민원봉사실 발령.'
뭐야 이게?! 황당한 정의 표정에서.

S#71   민원봉사 사무실 (낮)

벌컥 문 열고 안으로 들어오는 정.

그 뒤를 따라 철기가 들어오고.

정   대체 이게 무슨...! (하다가 멈칫)

정 사무실 안 보면, 가운데 테이블, 중도와 은지가 앉아 있다.
한쪽엔 아라가 서 있고.

중도   (어쩔 수 없이 끌려온, 힘없는) 왔어?
정   ...니들이 여기 왜 있냐? 선배는 여기 또 왜 있고?
아라   선배가 아니라 부장님.
             일단 이게 어떻게 된 거냐면... (하는데)

그때 안으로 들어오는 한 사람,
슬리퍼에 색 바랜 러닝, 추레한 아저씨 박재경이다?

정   (엥? 당황스레 박재경 보는)
박재경   왔냐? (간이침대에 걸터앉는)
정   저한텐 분명 그만두신다고...
박재경   그랬지 그랬는데... 심심해서 다시 왔다.
             한 달 쉰 건 연차랑 휴가 처리했고.
             자리 그대로 있으니까 앉으면 돼.
정   아니 이건 무슨 몰카도 아니고...
             (문득) 제 인사 발령 결재는요? 설마 선배가 결재한 거?
아라   (잘못 없다는 듯 두 손 드는) 난 결재만.
             제안과 결정은... (박재경 가리키고)

정	(황당하게 박재경 보는) 나 형사부 겨우 복귀했는데?
박재경	여기도 맡을 수 있어 사건.
	(서랍에서 서류 꺼내 책상에 놓으며) 넌 하던 대로 계속 날뛰고.

정 서류 보면,

'대신 그룹 박건우 회장 내사 자료.'

박재경	위에서 오다 내려왔다.
	너 콕 찝어서 니가 맡으라고.
정	저를요?
박재경	일반적인 검찰 수사 방식으론 막히는 게 많다나 뭐라나,
	여하튼 니가 한번 잘 만져 봐. 철저하게 니 방식대로.
정	그래서 절 여기...
박재경	우리가 형사부보단 프리하잖냐.
	세팅은 됐으니까 놀아 봐. 대신 걸리진 말고.

중도의 어깨를 격려하듯 두드려 주는 은지.
웃음 지으며 정을 바라보는 철기와 박재경, 아라.

정	(사람들 보다가, 피식 웃는) ...나쁘진 않네.

S#72 **교도소 운동장 (낮)**

혼자서 장기를 두고 있는 현규.
잠시 후 교도관이 현규를 부른다.

교도관	6287.

S#73　　교도소 일각 (낮)

아무도 없는 으슥한 곳.
주위 살피곤 현규에게 핸드폰 건네주는 교도관.

현규	(핸드폰 통화하는) 어떻게 됐어?
남자(소리)	회장님 전언입니다.
	당분간 조용히 계셔 달란 말씀이 있었습니다.
현규	(마음에 안 드는) 언제까지?
남자(소리)	진 검사를 정리할 때까지요.
현규	박 회장한테 전해. 짜증 나게 하지 말고 나부터 빼라고.
남자(소리)	전 말씀을 전해 드릴 뿐입니다.
	그리고 회장님께서 이 말씀도 전하셨습니다.
	조용히 계셔라. 이참에 영원히 은퇴하기 싫다면.
현규	!! (교도관 보면)
교도관	(서늘히 현규 바라보며 서 있고)

모든 것을 잃고 한없이 초라해진 현규.
참담한 얼굴로 고개 숙이는 데서.

S#74　　노인정 (낮)

할아버지 할머니들을 모셔 놓고 옥 장판을 팔고 있는

유진철과 양아치 두 명.

유진철   누워만 있어도 암과 중풍이 예방된단 기적의 매트!
         엄마 아빠 게르마늄 알지? 백프로 국산 옥에서만 나온다는.
         그 귀한 옥이 하나도 아니고 열 개!!
         병이란 병 못 고치는 게 없는 기적의 옥 장판을
         효도 특가 9만 9천 원에...
노인들   (집중해 유진철의 설명 듣고)

S#75   **PPL, 스크린 골프장 (낮)**

유진철 호쾌하게 티샷 날리면, "형님 나이스 샷!"
호들갑스레 박수치는 양아치1, 2.

양아치1   근데 형님, 소문으론 형님 왕년엔 강남에서
         완전 잘 나가셨다고.
유진철   (급 아련해지는) 그랬지.
         한땐 그 바닥에서 유진철 세 글자만 대면,
         못 하는 게 없던 그런 때가 있었지.
양아치2   근데 지금은 왜 이렇게...?
유진철   검사 한 놈이 있었어.
         목검 들고 다니는 이상한 또라이 하나...
정(소리)   굿 샷!

유진철 옆에 칸 보면,

스윙한 자세 그대로 딱 잡고 있는 한 사람,
정이다!

정   야아 여기 좋네 인테리어 깔끔하고.

           (트랙맨 만지는) 야 여긴 이런 것도 있다 진철아.

           (트랙맨이 알려주는 데로 티샷 자세 잡는)

유진철   (아 진짜... 짜증스레 정 바라보고)

정   잠깐만 나 이거 하나만 치고. (힘차게 티샷 날리는)

S#76   **공사장 (낮)**

           인적 없는 공사장.

           마주 서 있는 정과 유진철, 양아치1, 2.

정   집행 유예로 나왔으면 조용히 반성하고 살 일이지.

           어디 선량한 어르신들 등을 치고 다녀?!

유진철   (짜증) 검사님 내 스토커야? 왜 이렇게 따라다녀?!

정   내가 널 따라다니겠냐? 내가 가는데 니가 있는 거지?

           말은 됐고 일단 좀 맞자.

           넌 갱생이 이걸로 밖에 안 되겠다.

           (목검 돌리는)

유진철   이 양반이 날 또 띄엄띄엄 보네. 애들아!

           곳곳에서 튀어나오는 꽃무늬 셔츠 양아치들 한 무리,

           유진철의 앞을 지키듯 막아선다.

정	가지가지 한다 가지가지 해. 꽃놀이 왔냐?
유진철	너 올 줄 알고 특별히 준비한 놈들이거든?
	넌 뒤졌어 자식아!
정	(대충) 그래 알았다. 유언 다 끝냈으면 시작하자.

여유 넘치는 얼굴로 목검 부여잡는 정.
그때 갑자기 울리는 핸드폰 진동.

정	(끄응... 인상 찌푸리며 전화 받는) 예 선배.
아라(소리)	진정!!

S#77 　신아라 부장검사실, 공사장 교차 (낮)

아라	(왔다 갔다 하며 핸드폰 통화 중인) 너 지금 어디야.
	유진철 잡으러 갔다며!
정	질문이랑 대답을 다 하시면 제가 뭐라 말을...
아라	당장 돌아와.
정	선배!
아라	부장님이라니까!
정	아유 알았어 신 부장 선배! 쟤 저거 순 나쁜 놈이에요.
	어르신들 쌈짓돈 털어먹는 놈을 어떻게 보고만 있어요!
아라	누가 보고만 있으래?
	경찰 병력 보냈으니까 넌 빨리 복귀해.

갑자기 들려오기 시작하는 경찰차 사이렌 소리.

놀라는 정과 유진철, 양아치들.

아라   (이 악물고) 저 진정입니다 이딴 소리 하지 말고 들어와라.
안 그럼 너 내가 평생을 민원 처리만...
(핸드폰 끊긴) 여보세요? 진정, 진 검사!

S#78   **공사장 (낮)**

정   시간이 많이 없다.
(목검으로 유진철 가리키는) 딱 너 하나만 패줄게.
유진철   (긴장) 뭐, 뭐 해 이것들아?! 재껴!

덤벼드는 양아치들의 공격 피해 가며
유진철을 향해 달려가는 정!
어어어 뒤로 주춤주춤 물러서는 유진철.
옆에 있던 양아치1, 2를 정에게 민다.
어쩔 수 없이 달려드는 양아치1, 2.
두 사람을 밟고 올라서며 날아오르는 정!
힘차게 목검 내려치는 정의 모습에서...!! 타이틀!!

진검승부

- 진검승부 끝 -

작가가
선택한 명대사
VS
시청자가
선택한 명대사

작가가 선택한 명대사

✕ − ✛	7화

"가드 바싹 올려. 이젠 내 차례니까."

✕ − ✛	8화

"검찰을 지키기 위해?
당신이 뭐라고 우릴 지켜? 착각하지 마세요 김태호 씨.
우릴 지켜 주는 건 힘이나 위치가 아니야. 법과 국민이야.
내가 증명해 줄게.
당신의 그 알량한 신념이 얼마나 잘못된 건지,
당신이 믿는 그 힘이라는 게 얼마나 허무하게 박살나는지.

✕ − ✛	9화

"정의 수호의 검사."

"이거 아저씨 맞죠. 아저씬 왜 칼 안 들고 다녀요?"

"사실 이건 비밀인데... 아저씨 칼은 나쁜 놈한테만 써야 되거든.
그래서 지금은 숨겨 놨어. 아무한테도 안 보이게."

"광선검처럼요?"

"막 꺼내면 사람들 무서워하니까."

"우와... 나도 검사 될래요."

10화

"너 그 사람이 누군지나 알고 하는 소리냐?
그 사람 그냥 변호사 아니야.
대한민국 권력이란 권력은 전부 줄대고 싶어 안달하는 사람이야.
청와대랑 정재계 방구 좀 꼈다 하는 놈들
어떻게든 밥 한 끼 먹자 목매는 사람이라고 니가 파겠단 그 인사가."

"말씀을 이해를 못 하겠네 나쁜 짓 했음 잡는 거지.
이런 놈 잡으라고 저희가 있는 거잖아요."

"좀 있으면 대선이고 적어도 지금은 아냐. 엑셀에서 발 떼."

"뭐 내가 내 할 일 하겠다는데 엑셀을 떼라 마라, 싫습니다."

11화

"서현규를 왜 그렇게 두려워합니까.
전 그 사람이 무섭지 않습니다.
저는 검사고
검사가 무서워해야 할 건
오직 정의와 국민뿐이니까요.
검사의 의무는
나쁜 놈들을 잡는 겁니다.
죄 지은 놈들이
검사를 무서워해야지
검사가 그놈들을 무서워한다?
세상에 그런 법은 없습니다."

12화

"법은 만인에게 평등합니다.
누구도
법을 기만할 순 없습니다.
위치와 권력 여하 상관없이
그 어떤 누구도
법 위에 설 순 없습니다.
단 한 명이라도
예외를 두는 순간,
법은 법으로서의 존재 가치를
상실하기 때문입니다."

시청자가 선택한 명대사

×－＋　　　　　7화

"하여간 한 번에 말 듣는 법이 없어요.
미리 말하는데 저번이랑은 다를 거야.
이번엔 기습도 안 되고 무엇보다 내가...
원수는 안 잊는 놈이거든."

×－＋　　　　　8화

"이러다 우리가 아무 힘도 권위도 없어지게 되면,
과연 다음 검찰엔 누가 남을까?"

"진짜 검사만 남겠지."

×－＋　　　　　9화

"멘트가 중요한 게 아니더라고요.
메신저가 중요한 겁니다."

× − +　　　　　10화

"아저씨 선택은 둘 중 하나예요.
저랑 같이 하거나 저한테 전부 맡기거나.
그리고 저 아무도 안 잃을 겁니다.
그 전에 잡을 거거든."

× − +　　　　11화

"히든카드다 개새끼야"

× − +　　　　12화

"사악한 것은 바른 것을 이기지 못한다.
부정은 정을 이길 수 없다. 사불범정."

작가에게 묻는다

Q1 공중파 드라마라고 하기엔 적은 회차로 그 많은 내용을 담기

힘드셨을 거 같은데, 무엇을 가장 중요하게 두고 집필하셨나요? z_sser_t_v

한 화 60분 방영 시간 동안 한순간도 지루하게 만들지 말자. 시청자분들에게 최대한의 재미와 몰입감을 선물해 드리자. 이를 최우선의 가치로 두고 집필하였습니다. 드라마란 곧 대중 예술이고 대중 예술의 존재 의미는 최대한 많은 이들에게 재미와 공감을 주는 데 있다고 생각하기 때문입니다.

Q2 멋있는 문장들이 많이 나오는데 평소에 맘에 드는 문장이 있으면

수시로 기록하는 타입이신지. d.o holic

영화나 소설, 만화, 인터넷 커뮤니티의 재치 있는 댓글 등 저한테 인상 깊은 건 빠짐없이 기록하고 메모합니다. 조금이라도 더 좋은 대사, 임팩트 있는 대사를 쓰기 위한 노력이라 할까요. 앞으로 더 노력하겠습니다!

Q3 대본 쓰시면서 생각하신 진정 검사를 도경수 님이 얼마나 잘 표현했다고

생각하시나요? 특히 생각하셨던 것 이상으로 표현해 준 장면이 있다면

어떤 것이 있을까요? do2006love

'최고의 배우는 캐릭터를 연기하지 않는다. 그들은 캐릭터가 된다.'라는 말이 있습니다. 저한테 도경수 님은 도경수 님이 아니었습니다. 진정 그 자체였어요. 이 사람 말고 다른 사람이 진정을 연기한다는 건 상상도 못 할 만큼요. 다른 배우님들 또한 마찬가지였습니다. 신아라가 되어 준 이세희 배우님, 도환이가 되어 준 하준 배우님, 그 외 모든 배우님께 이 자리를 빌려 감사 인사를 드립니다.

제가 생각했던 것 이상으로 배우님이 표현해 주신 장면은 2화 엔딩! 내용을 다 알고 보는데도 "진짜 미친놈이네…" 소리가 절로 나오더라고요.

Q4 이 드라마는 처음에 어디서부터 시작된 건지 궁금합니다! jesslyntrstn

앞서 작가의 말에도 말씀 드렸다시피 '이런 검사가 있었으면 좋겠다'입니다. 어떤 유혹에도 흔들리지 않고 어떤 고난에도 굴복하지 않는 검사. 오직 자신의 본연과 의무에만 충실한 검사. 이런 검사가 현실 세상에도 있었으면 좋겠다는 바람과 소망이 〈진검승부〉의 시작이었습니다.

Q5 비중 있는 인물들의 성격을 구축할 때

중심이 되는 키워드가 있다면 알고 싶어요. algo_bues0

중심 키워드는 아래와 같습니다.

정: 바를 정(正). 눈에는 눈 이에는 이.

아라: 츤데레 선배. 정이랑은 썸 한 스푼. 아라는 참지 않아.

도환: 욕망 가득한 괴물. 그럼에도 마지막 선은 지키기에 인간.

중도: 노비. 궁시렁 궁시렁. 은지랑 이어 주자.

은지: 정 바라기. 고양이. 중도랑 이어 주자.

철기: 다큐 인생. 선비는 자신을 알아봐 주는 사람을 위해 목숨을 바친다.

현규: 능글맞은 사이코패스. 명단을 만드는 사람.

코코: 흰둥이.

Q6 처음 시나리오를 쓸 때 마지막 부분을 미리 염두에 두고 작성하셨나요? youngs.21

전체 시놉시스 작업을 할 때 마지막 화 장면들을 구상해 놓았습니다. 법복을 입는 진 검사, 서현규와의 법정 씬, 그 안에서 정의 대사 등...

1화 오프닝을 받아 수미상관 형식으로 마무리를 지은 것도 미리 염두한 부분입니다.

진 검사가 나쁜 놈들을 향해 목검을 휘두르는 모습이야말로 〈진검승부〉가 어떤 드라마인지 가장 선명하게 보여주는 장면이라 생각했고 저 개인적으로도 꽉 막힌 해피엔딩을 선호하는 편이라서요.

Q7 작품을 쓰면서 가장 신경 쓴 부분이 있다면 무엇인가요? yw.s2etrap

재미와 몰입. 일주일에 두 시간 시청자분들이 시간 낭비했다 느끼게 하지 말자. 배우님들과 스태프분들에게 누가 되지 말자.

Q8 진검승부가 끝나서 너무 아쉬워요. 혹시 시즌 2 계획이 있으신가요? 89p_nk

상황과 여건이 허락만 되면 전 언제든 긍정적이라 말씀 드리겠습니다. 이대로 진 검사와 패밀리들을 떠나보내기엔 저 역시 너무 아쉬워서요.

Q9 진검승부라는 작품이 시청자들에게 어떻게 기억되었으면 좋겠다는 바람이 있다면 한마디로 정의해 주실 수 있나요? bd_bada

캐릭터들이 살아 있는 드라마, 매회 다음 화가 기다려지고 시간 가는 줄 몰랐던 드라마. 이렇게만 기억해 주셔도 저로선 너무나 큰 영광입니다.

Q10 작품을 만들 때면 으레 따라오는 힘든 점도 있었을 테고

재밌고 즐거운 부분들도 있었을 거라 생각해요.

작가님 첫 입봉작인데 소회를 듣고 싶습니다. lbsun_ny

사실 저는 정말 모든 사람에게 감사하다는 말밖에 드릴 말씀이 없습니다. 너무나 많은 분이 〈진검승부〉를 위해 고생해 주셨기 때문입니다. 그분들의 수고에 비하면 작가로서 힘든 점은 힘든 점도 아니죠.

마지막 화가 끝났을 때 제일 먼저 든 감정은 아쉬움이었습니다. 더 재밌게 잘 썼어야 했는데... 배우님들께 더 좋은 대사를 줬어야 했는데... 제가 느낀 아쉬움을 자양분 삼아 더 재밌고 더 좋은 작품으로 다시 찾아뵙도록 하겠습니다.

〈진검승부〉를 사랑해 주신 시청자분들, 지금 대본집을 보고 계신 여러분들 정말 감사드립니다. 여러분들이 안 계셨다면 지금의 저도 없었을 겁니다.

다시 한번 감사의 인사 드리며 저는 이만 물러나겠습니다.

건강하시고 행복하시기 바라겠습니다.

감독에게 묻는다

Q1 드라마를 보면 볼수록 불량스러운 진정 역을 맡은 도경수 배우의 연기력에 감탄이 나오는데, 혹시 감독님이 배우님께 해 주신 디렉팅이 있었나요? z_sser__t_v

진정 역을 위해 도경수 배우에게 특별히 요구한 디렉팅은 그리 많지 않습니다. 워낙에 진정 캐릭터에 맞는 배우를 찾으려 애쓴 점도 있고, 도경수라는 배우가 가지고 있는 끼와 능력, 매력과 아우라를 최대한 살리기 위해 오히려 디렉팅을 자제하고 도 배우가 카메라 앞에서 부담 없이 연기할 수 있도록 최대한 편하게 대하고 지켜보는 편이 많았습니다. 그러다 보니 즉흥적으로 하는 연기나 대사들이 많았고 그런 부분을 편집에서 많이 사용하다 보니 그의 연기력에 더 감탄하게 된 거 같습니다.

Q2 가장 촬영하기 힘들었던 장면 그리고 가장 순조롭고 빠르게 촬영했던 장면에는 어떤 장면이 있을까요? bd_bada

가장 힘들었던 장면은 아무래도 신안 앞바다 염전 장면과 공항에서의 액션·추격전이었던 거 같습니다. 액션 씬은 촬영 분량이 많고 시간이 많이 필요한데 주어진 시간은 없고 보조 출연자들까지 해서 몇백 명이 움직이다 보니 아침 해가 떠오를 때까지 정신없이 찍었던 거 같습니다. 가장 순조롭고 빠르게 촬영했던 장면은 코코가 진정의 된장찌개를 싫어하는 장면이었는데 동물 촬영이 항상 어렵기 때문에 다들 걱정했지만, 코코가 연기를 너무 잘해 줘서 NG 없이 한 번에 오케이가 났던 기억이 납니다.

Q3 보는 내내 액션씬이 영화만큼의 좋은 퀄리티라 늘 놀랍고 좋았지만 감독님 입장에서 아쉬운 점이 있으시다면 어떤 씬일지 궁금합니다. **g_____rimi**

워낙에 영화감독을 오래 해서 진검승부도 영화만큼 꼼꼼히 준비하고 치밀하게 만들어 보려 했습니다. 특히 액션 씬이나 하이스트 씬 같은 경우는 대본에 디테일한 내용이 없기 때문에 콘티나 스토리보드를 만들면서 더 재밌고 흥미롭게 만들어 보고자 했지만, 방영 날짜와 촬영이 겹치면서 후반 작업, 즉 편집이나 사운드 디자인, 음악, CG나 색 보정 등 촬영 이후의 작업에 시간을 많이 내지 못한 것이 아쉽습니다.

Q4 작품을 준비하시면서 가장 중점을 두신 부분은 무엇이고, 그게 드라마상에서 어떻게 구현되었는지 궁금합니다. **lelia27**

아무래도 TV 드라마의 성격상 세트나 실내 장면이 많다 보니 야외, 특히 공간감을 느낄 수 있는 커다란 로케이션이나 넓은 장소를 많이 찾았습니다. 햇빛과 조명을 잘 활용해서 답답한 이야기 전개를 공간적으로 시원하게 하고 멋진 장소를 많이 찾아 드론이라든가 크레인 등을 사용해 멀리서 촬영을 많이 했는데 그런 장면이 잘 구현되었다고 생각합니다.

Q5 코코 캐스팅 비하인드 궁금합니다. **malgunee**

대본 회의 때 진정에게 반려견이 있으면 어떨까 하는 아이디어가 나와 대본 수정 끝에 코코가 탄생했습니다. 보기만 해도 웃음이 나는 강아지를 캐스팅하고 싶어 비숑이나 퍼그 같은 개를 찾았고 결국 귀여운 강아지 한 마리를 캐스팅했는데 촬영 직전에 그 강아지가 허리가 아파서 촬영이 힘들 거 같다고 연락이 와서 부랴부랴 새로 구한 강아지가 지금의 코코, 별이입니다.

Q6 장면 연출할 때 미학적으로 가장 신경 쓰는 부분은 무엇인가요? **dyoke6**

장면 연출할 때는 가장 신경 쓰는 부분은 아무래도 배우들의 자연스러운 연기입니다. 어떻게 말하고 움직이는지 아주 작고 디테일한 부분도 놓치지 않고 다듬어 나가면 결국 멋진 장면이 탄생합니다. 거기에 역광을 이용한 조명과 카메라의 적절한 움직임으로 그 순간을 포착하고 이야기에 집중할 수 있는 정확한 편집과 음악을 통해 숨 막히는 순간을 만들어낼 때 미학적으로 완성되는 거 같습니다.

Q7 이건 내가 만들었지만 내가 생각해도 진짜 대박이다 했던 장면이 있나요? **lbsun_ny**

정글에서 부모를 잃은 아이가 오랫동안 간직해온 반쪽짜리 목걸이를 가지고 결국 그 나머지 반쪽을 간직한 부모를 찾는 애니메이션을 아주 어렸을 때 봤던 기억이 있었습니다. 두 개의 반쪽짜리 목걸이를 서로 나란히 가져가 대보는 순간을 잊을 수가 없어서 이번 진검승부에서 정이가 오랫동안 가지고 있던 찢어진 명함의 나머지를 찾는 이야기를 해 보고 싶었습니다. 그 순간을 편집하면서 눈물이 났던 기억이 납니다.

Q8 What was the most challenging part in filming this kind of drama since it's kinda related to government and all? Were you guys got scared of the "negative" image that might be painted to the prosecution itself (even though this is only fictional?) **chef_kyungsoo112**

검찰이나 검사들의 이야기가 부정적으로 보이거나 표현되어 걱정되었다기보다는 사실 이미 많은 검사·변호사 등 법조계 이야기가 드라마로 나와 있어서 그 부분이 더 걱정이었습니다. 어떻게 하면 예전의 다른 검사·변호사 드라마들과 차별성을 가질 수 있을까, 어떻게 하면 좀 더 재밌고 다르게 이야기를 끌고 갈 수 있을까 같은 고민이 이번 〈진검승부〉를 준비하면서 가장 큰 도전이었던 거 같습니다.

Q9 감독님께서 현재 '감독'이라는 직업을 선택하시게 된 배경이 궁금합니다! yw.s2etrap
저는 원래 건축을 전공하고 건물을 설계하던 일을 하다 영화가 좋아서 감독이 되었습니다. 건축가 또한 종합예술가로서 멋진 직업인데 거기서 더 나아가 보편적인 이야기로 보다 많은 사람과 소통하고자 영화감독이라는 직업을 선택했습니다.

Q10 드라마 속에서 빨간색과 파란색이 많이 나와서 선과 악을 대비하는
상징적인 의미가 있는 것 같은데, 이런 추측해 봐도 될까요? jesslyntrstn
드라마 속 색감들은 다양하고 그때그때 상황에 맞는 색들을 활용하고자 노력을 많이 했습니다. 기본적인 선과 악에 대한 대비는 검찰청 내부에서 가장 두드러지는데요, 미술적으로는 흑백 배치, 즉, 흰색과 검은색으로 모든 공간, 소품, 가구, 심지어는 의상과 인물들에게도 적용해 보았습니다. 흰색과 검은색의 대비가 검사 집단의 흑백 논리와 수직적 위계질서를 나타내고자 했는데 각각의 인물들이 들고 있는 커피잔도 검은색과 흰색으로 대비하는 등 자세히 보면 여러 씬에서 찾아볼 수 있습니다. 하지만 진정과 진정 친구들만큼은 자유분방함과 다채로움을 표현하기 위해 붉은색과 파란색뿐만 아니라 화려하고 강렬한 여러 가지 원색들을 사용해 두 집단 사이의 차이와 개성을 표현하고자 했습니다.

만든 사람들

[출연]

1부
도경수 이세희 하준
김상호 연준석 김태우
최광일 김금순

2부
도경수 이세희 하준
김상호 이시언 주보영 연준석
김태우 최광일 김금순 신승환

3부
도경수 이세희 하준
김상호 이시언 주보영 연준석
김태우 최광일 김금순
신승환 유환

4부~12부
도경수 이세희 하준
김상호 이시언 주보영 연준석
김창완 김태우 최광일
김금순 신승환 김히어라 유환

[단역 출연자]

1부
이효나 이우성 조승연 신훈희
오규택 유병선 윤정섭 정현준
이동규 지용현 강성욱 김상현
서대섭 김정환 홍상표 강동구
김현규 박하은 고우신 임용순
한대훈 오수현 맹수지

2부
한대훈 고유안 최승원 정재원
김윤홍 이규섭 장지웅 선아린
윤정섭 홍의준 진시원 곽민준
주은서 윤시무 최정현 박성대
허지웅 오윤수 지형 김현규
박하은 고우신 맹수지

3부
이효나 라이언 하다고 박성대
허지웅 김진옥 김현규 박하은
고우신 홍의준 정연 정재원
방병현 한송호 송진희 안지희
윤정섭 유병선 박하은 맹수지
박선우 정민석 김태윤 임예은
오윤성 조운성 남태우 우충연
정윤기 한태주

4부
박진영 유병선 윤정섭 박선우
정민석 김정남 강희중 신신범
신희국 백하빈 배제기 맹수지
임예은 오윤성 이창원 김정영
박준수 홍의준 정혜윤 송원수

5부
이우성 전정관 홍의준 이승진
윤정섭 유병선 정재원 방병현
정현준 엄유진 정연 최강한
윤아진 박준기 한인수 박현영
조성구 고남호 홍기주 김정연
남태우 이하성 권성욱 허승운

최세민 이태곤 김지현 한희림
특별출연: 이종혁

6부
홍의준 정연 최강한 김정영
안아주 정현준 윤정섭 유병선
김문호 김우진 구일모 김대기

7부
김민지 김민찬 임효진 이상국
하영진 정용식 이시안 홍의준
안아주 배제기 최승언 이승진
김해준 백초아 윤정섭 유병선

8부
백초아 배제기 장의돈 제승현
홍의준 정현준 김해준 정재원
방병현 김정영 임예은 백하빈
이상진 김상룡 재후
특별출연: 금광산

9부
홍의준 윤정섭 유병선 이우성
이효나 백하빈 정현준 이상희
박영복 정재원 방병현 홍기주
최재웅 서한돌 김태석 김대근
양해준 김대섭 정연태 성민
벤지 나우팔 아카시 아닉
오병오

10부
서광재 김성곤 신하준 홍의준
윤정섭 유병선 정재원 장은서
정현준 배기범 유진호 곽나연
박기선 노경 안태경 조정흠

특별출연: 이종혁

11부
윤정섭 유병선 홍의준 양한슬
육현석 이소금 맹수지 박태진
장의돈 서한돌 김태석 송인준
정철 이상진 김상룡

12부
윤정섭 유병선 홍의준 신승환
이우성 정현준 임용순 김근환
맹수지 한태진 이동기 김두은
박경복 신가람 박윤결
특별출연: 이종혁

책임프로듀서
윤재혁
프로듀서
백승민

[네오엔터테인먼트]
제작
이향봉 배익현
제작총괄
조영재
제작회계
이현실

[블라드스튜디오]
제작
김용화 서호진
제작총괄
이도형
제작프로듀서
전옥진 김수민

경영지원
김준엽 정의용 윤영진
제작회계
홍은경 조명숙

A팀
촬영감독
김형주 지윤정
포커스
조성호 박승명
촬영팀
성시용 조범일 안현준
박성모 오현진 김태준
촬영장비
덱스터
배병석 유금정 이주연 최재광
이수진 이남경

조명감독
홍명수
조명팀
은정현 김대환 오한비
박우빈 박수진 박지훈 이은환
조명탑차
이드
김대환
발전차
김탁현
조명장비
LiteLim
김수환

동시녹음
전영기 구종률

동시녹음팀
조유현 김은솔 김용수 김안나
이범중

그립실장
노한결 김동길
그립팀
최원대 정우석 김강빈 김욱
김태영

분장
메이크업메이드
분장실장
신연정
분장팀장
김예지
분장팀
박소령 박세희

B팀
촬영감독
정기완 전재우
포커스
장종범 이덕원
촬영팀
김정수 양진혁 김창호
손현목 김민지 나금환
촬영장비
지티렌탈(주)
박종준 전근찬

조명감독
안상진
조명팀
정지원 정준호 이창식 송동욱

발전차
송욱
동시녹음
서지훈
동시녹음팀
정현재 이세비

그립팀장
김승철
그립팀
김인원 강원태

분장팀장
홍은아
분장팀
신해진

D.I.T
CONCRETE MEDIA LAB
Technical Supervisor
박장근
D.I.T Supervisior
김한솔
D.I.T
권예지
D.U.T
장세은 박지혜

무술
BESTSTUNT TEAM
무술감독
임왕섭 박영식
무술팀
김보경 임현우 김선간 이상하
심상민 서정주 임동은 임승묵

김승필 이학렬 이태영 조아라
이용문 이상철 최재옥 이동민
임태훈 황유현 홍의정 홍광석
김원진 최준석 한지빈 이광호
오태승

특수효과
WS510
특효실장
박대훈
특효팀장
김요한 김진규

특수소품
도트
특수소품대표
피대성
특수소품실장
설하운
특수소품팀
강소율 김성현 이가영 박수민
석은하 김우식

미술
신승준 방효길
디자이너
고은정

KBS아트비전
미술총괄
정홍극
미술지원
여운성
작화
노성봉 박상완

세트제작
(주)아트인
세트총괄
이용직 이상군
세트장치
김정근 이형준 이용학
세트장식
김한 박유범 신승진
세트진행
손준영

장식인테리어 디자인
김예진, 유하현
장식 팀장
안지환
장식 진행
김아름, 양두석, 김영현, 오주영
장식 총괄
이강호
장식 지원
윤영수
장식 제작
정진호
장식 행정
임진경, 강수연

의상
박진희
의상진행
김지은 이승희
의상디자이너
홍준교

보조출연
민들레 엔터테인먼트

지용현
오병오
김정일

캐스팅
12하우스
캐스팅대표
이상길
캐스팅이사
이영섭

동물출연
애니픽쳐스
조형옥 한호정 한수정
별이(포메라니안)

운송
꿈미디어 여행사
스탭버스
윤은하 서정훈
봉고
김운용 한병택 김윤원 신성균
보조차량
유진네트관광 장호정

스튜디오
동현창호스튜디오

소품차량
인아트웍
심대섭 박민철 허성두 최견섭
이현우 한건수

제작편집감독
안영록

제작편집CG
나유선
편집
최현숙
서브편집
정우린
편집보조
박성원 이현지

음악감독
백은우
ScoreEditor
한도환
Compose
오병주 김태준 양성호 정유리
박범근 김대훈 지성규 김수빈
유태환

OST 제작
Executive Producer PRISMFILTER MUSIC
GROUP,
㈜파괴연구소
Producer
전제니
Co-Producer
이강욱 송하윤 양민혁
Original Published by PRISMFILTER
MUSIC GROUP

OST
트웰브 "DEEP END"
LUCY "작은별"
도경수 "Bite"
수호(SUHO) "Call me a freak"
래원(Layone) "진검승부"

한동근 "쓰다"
츄더(Chuther) "Believe"
사운드
Mixed at 록 스튜디오
Sound Supervisor
김지은
Re-recording Mixer
방승인
Dialogue
김영록
Sound effect design
정희구
Foley Artist
이승호

VFX
(주)미디어트리컴퍼니
VFX Director
길형우
VFX Supervisor
유희권
VFX Artist
정혜림 박나민 이수영 신재연
고현경 김경원 서경원 이송림
DI
조혜림 박아름

KBS 행정
강은교
심의
문보현
KBS 프로모션 총괄
이수정
디지털 프로모션
김은총 채지원

디자인
추서진
온라인 홍보
KBS미디어
콘텐츠 기획
민지선
웹디자인
박현진

외주홍보총괄
3HW
이현 이현주

마케팅대행사
피아미디어그룹
장효지 박태민 윤종무 양예원

오프닝타이틀
PEAK
박상권 우정연 이학진 우선호

포스터 제작
팔레트 컴퍼니
포스터사진
임범식
현장스틸
이성근 김두솔
현장 메이킹
노재준 김동환

대본인쇄
슈퍼북

의상협조
노비드메이드

잉거솔 GC APHROSE
하이퍼데님

WAVVE
기획
이태현
투자총괄
우승현
사업총괄
김홍기
제작총괄
황인화
책임프로듀서
임창혁
프로듀서
조현정 지다은
미디어 편성운영
김경란 허식 임다나 권새봄
박예설
홍보
이희주 김용배 정다연 박선주
노진아
마케팅
한정은 정예지 박시은 박민지
민지은 배희정

제작실장
이정훈
제작부장
오수빈 김동위
제작팀
김재원 오진경 배유찬 임소연
김형중 신성용 서지섭 이재화
최보미

회계부장
김류은
제작회계
박지은

연출팀A
유용상 이건주 황서정 한은지
송우람
연출팀B
박재형 박한주 김승아 이승훈

스크립터A
이예나
스크립터B
이소윤

보조작가
박미정 김리안

외부 조연출
박정헌
조연출
서용수 김경은

극본
임영빈

연출
김성호 최연수

불량 검사 액션 수사극
진검승부 ②

초판 1쇄 발행 2022년 12월 9일

지은이 임영빈

발행인 오경수, 이병선
사업총괄본부장 이은영

편집 김세연, 김민경, 원지수
디자인 최유진, 이솔
제작 양동욱
마케팅 이찬욱, 서유진

발행처 DO! ULIKE
출판등록 제 2021-000167호
주소 서울특별시 서초구 반포대로20길 7-5(서초동)
전화 02-535-5282
팩스 02-535-5231
인스타그램 @doulike_official

ISBN 979-11-975618-2-5, 979-11-975618-3-2(세트) 04680